CRIME & PRIVATE

анна Данилова

ПЛЕННИЦА ЧУЖИХ ИЛЛЮЗИЙ

Москва
2015

УДК 821.161.1-312.4
ББК 84(2Рос=Рус)6-44
Д 18

Оформление серии художника *В.Щербакова*

Данилова, Анна Васильевна.

Д 18   Пленница чужих иллюзий : [роман] / Анна Данилова. — Москва : Эксмо, 2015. — 320 с.— (Crime & private).

ISBN 978-5-699-80281-4

Идеальная семейная жизнь следователя Бориса Гладышева рухнула в одночасье: его тихая, домашняя жена, рыжеволосая красавица Надежда, исчезла в неизвестном направлении, оставив сыновей на попечение свекрови. Перед этим в квартиру к Гладышевым приходил подозрительный неизвестный мужчина, который передал Наде большую спортивную сумку. Когда подруга Нади рассказала Борису, что в сумке находились огромная сумма денег и старинные драгоценности, он понял: прошлое жены, о котором в семье старались не вспоминать, никуда не исчезло...

УДК 821.161.1-312.4
ББК 84(2Рос=Рус)6-44

ISBN 978-5-699-80281-4

1. Надя. Станция Сенная, 2001 г.

— Она мертвая, мертвая... Она не дышит. Ты слышишь? Ты ее убил! Мы ее убили!!!

Снег сыпал, не переставая, уже который день. Сенная была завалена снегом, все побелело и притихло — железнодорожная станция с призрачно светящимися желтоватым светом окнами, дома, магазины, дороги, сады и даже люди.

И только Надя не замечала декабрьской стужи, и для нее снег почти по колено казался пухом, теплым пухом, по которому она бойко шагала, высоко поднимая ноги, обутые в красные замшевые сапожки. Снег иногда доходил ей до коленей, и тогда полы ее клетчатой шерстяной юбки, скользя по белой нежной снежной глади, оставляли легкий след...

Бабушка Лера с трудом заставила ее в этот снегопад надеть головной убор, а так, с ранней весны вплоть до начала декабря, Надя ходила с непокрытой головой, позволяя всем любоваться ее густыми ярко-рыжими длинными кудрями.

Юфины — все рыжие. И никогда не мерзнут. Словно веснушки, рассыпанные золотом по всему телу, греют их.

Но именно в эту зиму 2001 года Надя Юфина полыхала, словно внутри ее поселился самый настоящий огонь. На свадьбе подруги ее поцеловал

Виталий Бузыгин. Высокий худощавый парень двадцати трех лет — на целых семь лет старше Нади! Не местный, друг жениха, он появился в Сенной примерно за неделю до свадьбы. Яркий, но тихий, мало пьющий, он всю свадьбу смотрел на разрумянившуюся от танцев и вина Надю в воздушном и совсем не зимнем, несмотря на холодный ноябрь, голубом наряде с юбкой-пачкой, потом пригласил на один медленный танец, другой... Надя, всю свою школьную жизнь так и оставшаяся нецелованной, почувствовала, соприкасаясь с парнем, как по жилам ее заструилась превращенная в вино горячая кровь. Умница, отличница, на заднем дворе столовой, где праздновали свадьбу, она потеряла голову. Вместе с мозгами. Она чувствовала лишь свои губы, губы Виталия, его дыхание, замешенное на аромате вина с табачным привкусом, да его руки, поднимающие ее шелковые прозрачные голубые юбки.

«Так вот что такое любовь!» — думала она, когда Виталий грубо тискал ее в углу подсобки, катал на спине по снегу вдоль аллеи за столовой, шепча ей какие-то несуразные, смешные слова, носил на руках, проваливаясь в глубокие сугробы, отогревал своим дыханием ее руки, когда они, вернувшись на свадьбу, сидели рядышком за столом и выковыривали из больших свиных котлет украшения в виде гранатовых зерен. Им казалось, что их никто не замечает, что все заняты исключительно собой. На самом деле нашлась «добрая душа», позвонившая со свадьбы бабе Лере и доложившая ей о происходящем. Поэтому, когда Надя, вернувшись домой в два часа ночи, хотела незаметно пробраться в свою комнату, в большой комнате внезапно вспыхнул свет, и баба Лера в ночной сорочке и наброшенном на плечи пуховом платке преградила ей дорогу:

— Привет, внучка. Как свадьба? Натанцевалась?

Баба Лера — высокая стройная женщина с медными кудрявыми «юфинскими» волосами, была и в свои пятьдесят пять красивой женщиной, которую и бабушкой-то назвать было трудно. Валерия Николаевна — это еще куда ни шло.

— Мне тетя Валя позвонила...

— Доносчица, — нахмурилась Надя. — И чего?

— Говорит, что ты с приезжим целовалась на лестнице, потом на заднем дворе, а потом вы вообще куда-то исчезли... Я же говорила тебе, чтобы ты шерстяное платье надела. Голая совсем пришла на свадьбу! Грудь, ляжки — все на виду! А это что?

И она приподняла ставшие мокрыми и холодными оборки капроновой юбки.

— Да ты же как ледышка! Вы где с ним были, что делали? Вернее, что он с тобой сделал?

— Ба, ничего такого. Целовались, конечно. Я на нем ездила, в смысле, на спине каталась... Ну, как на ослике! По снегу! Потом снежками кидались, с горки кубарем скатывались, весело было...

— Ему двадцать три. Он взрослый мужик. Ты понимаешь, что я имею в виду?

— Ба, мне уже шестнадцать!

— Не дури, Надя. Тебе школу заканчивать нужно, в университет поступать, в городе будешь жить... Не ломай свою жизнь. Ты слышишь меня? Ну-ка, давай снимай платье... Ляжки вон, совсем заледенели... Постой-ка, я тебе сейчас пущу воду в ванну, погреешься...

В горячей воде она пришла в себя. Лера сидела рядом, учила жизни.

— Ты слушай меня. Понимаю, дело молодое, разные ситуации случаются, но если вдруг чего... Ты должна все это вымыть из себя, понимаешь? Чтобы не забеременеть. Ты уж извини, что открытым текстом говорю, но кто еще скажет-то? Все твои подружки, которые казались тебе ангелами, самыми близкими людьми, которым ты могла душу открыть и доверить свои тайны, в какой-то момент, когда они увидят, как ты счастлива, непременно попытаются тебе сделать какую-нибудь подлость, гадость. Они моментально станут твоими врагами. Попытаются оклеветать тебя, его, словом, начнется у тебя веселая жизнь... Так что, дорогая внучка, будь готова ко всему...

— Ба, ты чего сегодня такая странная? С чего это моим подружкам мне гадости делать?

— Ты — красавица, понимаешь? Одного этого достаточно, чтобы желать тебе несчастья.

— Ба, ты меня удивляешь! Я думала, ты любишь людей.

— Раньше любила. Вот когда была такой же, как ты. А потом столько всего о людях узнала — не дай бог!

— И что, тебя твои подружки предавали?

— Я тебе когда-нибудь расскажу. А сейчас давай выходи уже из ванны, вон как распарилась, надевай пижаму, халат и приходи в кухню, я тебе сейчас молока согрею.

Надя с бабой Лерой жили в своем доме, большом и уютном. Мать Нади укатила с каким-то парнем на Север, когда Наде было всего-то пять лет, а отца она и вовсе не знала, хотя мать была с ним, что называется, в законном браке. Надя и фамилию-то отца забыла, хотя мать какое-то время носила мужнину фамилию. Вот и получилось, что баба Лера заменила маленькой Наде и мать, и отца, и всех родственников, вместе взятых.

В отличие от своих подруг и знакомых, не имевших отца или матери, Надя от отсутствия родных вовсе не страдала и не понимала, как можно горевать о матери, скажем, которая сто лет назад бросила тебя, вычеркнула из своей жизни. Не говоря об отце, который предал их с матерью, когда Надя была совсем крошкой. Надя была счастлива, живя с бабой Лерой, доброй и милой, с которой ей было спокойно и радостно. Баба Лера была спокойной, уравновешенной, справедливой, умной, щедрой, а еще рядом с ней Надя чувствовала себя защищенной. Она знала: что бы ни случилось в ее жизни, баба Лера всегда окажется рядом, поможет, спасет, научит, как жить дальше.

Личная жизнь самой бабы Леры последние шесть лет была связана с местным пасечником, вдовцом Родионом Чащиным. Уж так горевал Чащин по своей умершей жене, так горевал, что и сам не заметил, как позволил здоровой и крепкой соседке Лере практически занять ее место, отдать себя на ее, женское попечение. Поначалу Лера просто заботилась о нем, как о соседе, носила ему еду, стирала одежду, лечила его, когда болел, а потом он уже и не представлял себе жизни без нее. Хотя они по-прежнему продолжали жить каждый в своем доме.

В ту памятную ночь, перевернувшую всю ее жизнь, Надя почти не спала, все чувствовала на себе ласковые руки Виталия, вспоминала его глаза цвета зеленой, свежей травы, долгие, проникающие в самое сердце, взгляды и те слова, которые он шептал, уверяя ее в том, что лучше и красивее девушки он в своей жизни не встречал.

Снежные забавы, которым они предавались под лихой свадебный шум, продолжились, несмотря на больное горло и температуру Нади, на следующий день, когда она сбежала с Виталием, подогнавшим к ее дому роскошный черный «Мерседес», который увез их в зимний лес, на незнакомую Наде дачу.

Это была даже и не дача, а настоящий большой дом, в котором какой-то волшебник распалил огонь в камине, замариновал мясо и украсил стол живыми подснежниками.

— Откуда все это, ты же не местный? — восхищалась Надя, сидя на толстой шкуре белого медведя, разостланной перед пылающим камином, и играя волосами Виталия, который положил на ее колени свою шальную голову. — Как тебе удалось все так быстро и красиво устроить?

— Жить вообще надо красиво, Наденька, — улыбался, лежа с закрытыми глазами, Виталий, предаваясь каким-то своим грезам. — У меня друзья, они и помогли.

— А чья это дача?

— Говорю же: друга. Он на время в Питер перебрался, женился там, а Максу, ну, у которого мы вчера на свадьбе гуляли, оставил ключи. Вот я все и придумал! Нравится?

— Да, очень. Спасибо тебе, Виталий, ты потрясающий!

— Горло не болит?

— Побаливает немного, — соврала она, — было так больно, что Наде приходилось зажмуриваться при каждом глотании.

— Ты от температуры выпей еще шампанского!

Виталий был праздником, от него исходила такая мощная волна счастья, которая окатывала Надю с головы до ног. Она просто купалась в этой внезапно обрушившейся на нее волне радости, и голова ее кружилась, не переставая, как забытая детская карусель в парке.

Новые ощущения, которые охватили ее тело и которым, казалось, не было конца, доставляли ей и наслаждение, и боль, и какую-то сладкую тоску. А еще она была напугана, потому что понимала — в ее жизни произошло что-то очень важное, и что ей теперь делать с этой новой женской жизнью, она пока еще не знала. Современная, неглупая девушка, теоретически знакомая с миром мужчин и женщин и тех отношений, которые существовали между полами со времен Адама и Евы, Надя, в полном недоумении от самой себя, предположила, что Виталий заколдовал ее — настолько велика была теперь ее зависимость от него. И эмоциональная, и сердечная, и физическая. В какой-то момент она почувствовала себя его рабыней, но бежать от этого рабства ей не хотелось. Она, словно утоляя жажду, глотала каждое мгновение, проведенное с Виталием, хотя и чувствовала, что мгновения эти полны отравы. И что все то, чем они занимались в заснеженном доме, в тиши белого леса и высоких сугробов, есть самое настоящее преступление, что Виталий повел ее за собой в самый настоящий ад, который он же, на только ему одному известное время, разукрасил розовыми и зелеными райскими красками.

В доме было тепло, даже жарко, но Надя мерзла, словно была маленьким зверьком, с которого быстро и безболезненно содрали шкурку. Не могла она вот так быстро привыкнуть к собственной наготе и наготе своего взрослого любовника, спрятавшего ее одежду.

А еще он заставил ее выключить мобильный телефон. «Чтобы не доставали».

Значит, Лера ищет ее, беспокоится. Она женщина неглупая, сразу поймет, с кем ее внучка, тем более что знает о появлении в ее жизни Виталия. Хоть бы в милицию не обращалась. Вот тогда стыдно будет. Очень. Перед всем поселком.

В перерывах между тем, что Виталий называл любовью, Надя уединялась в ванной комнате, чтобы по совету Леры гигиеническим способом обезопасить себя от нежелательной беременности. В один из таких моментов, прихватив телефон, Надя все же отправила бабушке сообщение: «Со мной все в порядке. Скоро вернусь домой. Целую».

Ночью Надя проснулась от каких-то непонятных звуков и обнаружила, что в постели одна. Виталия не было. Она быстро вскочила, набросила на себя одеяло и подошла к окну, которое привлекло к себе ее внимание голубоватым и совсем не ночным свечением. Была ночь, и все вокруг должно было быть погружено в зимнюю сонную темноту.

Внизу, возле крыльца она увидела машину с зажженными фарами, которые и являлись источником света, и Виталия, вытаскивающего из багажника какие-то вещи. Ящики, коробки.

Она успокоилась. Главное, что он здесь, рядом с ней. Может, ездил куда-то по делам.

Надя быстро оделась и спустилась вниз, в кухню, включила свет как раз в тот момент, когда Виталий вносил туда большую картонную коробку. Увидев ее, сонную, щурившуюся от яркого света, он застыл на мгновение с растерянным лицом, потом вдруг широко улыбнулся:

— А ты чего не спишь?

— От шума проснулась. А ты где был?

— Да мне тут должок вернули, позвонили, сказали, чтобы срочно приехал. Здесь вино, продукты, сигареты, консервы.

— Запасы, что ли, делаешь? — рассмеялась она.

— Ну да.

— Но не хочешь же ты сказать, что мы здесь надолго?

— Нет-нет! Как только захочешь вернуться домой, ты только скажи, и я тебя отвезу. Могу прямо сейчас.

Она испугалась. Нет, ей вовсе не хотелось домой. Ей было хорошо здесь, в этом большом доме, с Виталием.

— Нет-нет, все в порядке, — поспешила она уверить его.

— Ну, тогда завари чайку, а то я замерз.

И он продолжил вносить в дом коробки и ящики.

К чаю на столе появились шоколад, печенье, конфеты.

Надя, для которой происходящее являлось продолжением сна, с удовольствием ломала шоколад, разворачивала конфеты и, чувствуя вкус сладости, не отрываясь смотрела на своего возлюбленного.

— Ты счастлива со мной? — спрашивал он ее, обнимая и целуя. Его волосы пахли морозом, снегом, свежестью. Черный кашемировый свитер облегал мускулистые широкие плечи, Надя время от времени поглаживала его, чтобы убедиться, что он реальный, что этот прекрасный мужчина — не призрак, не результат ее ночных фантазий.

— Да, очень.

— Ты не представляешь себе, как я тебя люблю, — он наматывал на пальцы ее золотые локоны, целовал их, играл ими, запускал руки под ее одежду, словно тоже проверяя, все ли на месте. От его взгляда Надю пробивал слабый, но ощутимый разряд тока, который разгонял кровь по ее венам, заставляя сердце биться сильнее.

— И я тебя, — отвечала она, промокая свои ставшие шоколадными губы салфеткой.

— Хочешь жить в таком доме? Где-нибудь на море?

— Конечно, хочу!

— Значит, будем! Надо только постараться. Ты не представляешь себе, насколько все это реально!

— Ты что — богатый? Подпольный миллионер?

— Угадала!

— Я знаю одного такого миллионера, он приезжает иногда к нам, на станцию, у него здесь мать живет. Ты не представляешь себе, насколько он богат! У него своя строительная фирма в Москве, кажется. Он и тетю Лену, мать свою, хотел к себе забрать, но она отказалась. У нас никто ее не понял. А она говорит — хочу жить своей жизнью, в своем доме. Так Валера этот, ну, сын ее, прислал денег, и ей отремонтировали дом, он стал прямо как новый. Такую крышу сделали, красную, как черепичную... Ей постоянно какие-то посылки приходят, Валера так о ней заботится. Шубу привез в прошлом году. Норковую. Правда, она повесила ее в шкаф и носит старую дубленку, но все у нас на Сенной знают, что у нее есть шуба, да и вообще полно разных вещей.

— Кротов, что ли? — усмехнулся Виталий.

— Да, а ты что, его знаешь?!

— Да, Андрей рассказывал.

— Между прочим, он не женат, — сказала Надя. — Представляешь, тетя Лена как-то была у нас и сказала, что Валера мной интересовался, хотел даже в гости прийти, ну, когда к матери приезжал...

— И что, пришел? — Виталий больно сжал рукой ее плечо. Надя увидела, как остановился его взгляд и брови, как черные стрелы, сошлись на переносице.

— Нет, не пришел, — она почувствовала, как от страха или стыда за свою глупую болтовню ее бросило в жар. — Я его давно не видела. Виталий, ты чего?

— Ты — моя, поняла? И только моя. Узнаю чего — убью.

Сказал сухо, зло, как отрубил.

Надя после этих слов вдруг поняла, что связь с Виталием, их любовь и все то, что происходит сейчас с ней, может иметь самые неожиданные последствия, среди которых беременность — не самое страшное. Что она теперь как бы привязана к Виталию, и, быть может, не только любовью и страстью, но и какими-то обязанностями, правилами, законами, и что разорвать эти прочные нити можно лишь в одностороннем порядке. Только если он этого захочет. Бросит — значит, бросит. Ему все можно. В то время, как ей это не позволено. И если она совершит ошибку, то может расплатиться чуть ли не жизнью. Странное чувство одновременной защищенности и незащищенности охватило ее, когда она осознала и внутреннюю силу этого парня. И получалось, что вся жизнь, начиная с этой ночи, теперь ей как будто бы и не принадлежит!

От этой ясной, как сверкающий снег под луной, мысли она похолодела.

— Ты выйдешь за меня? — спросил он ее рано утром, когда она варила ему кофе.

Кухня купалась в солнечных лучах, бивших в окна и казавшихся белыми от необъятного снежного покрова, раскинувшегося под тихим декабрьским небом.

Надя, невыспавшаяся, утомленная и напуганная, даже вздрогнула, услышав его слова.

— Замуж? Но ведь я же еще того... Мне надо школу заканчивать... — произнесла она и почувствовала, как голова ее втягивается в плечи, словно в ожидании удара.

— Потом закончишь, — Виталий подошел к ней сзади и обнял, поцеловал в затылок. — Куда она денется-то, школа? Нам надо с тобой жизнь строить, понимаешь? Ты ведь поможешь мне?

— Как?

— Просто будь рядом, и все. Пообещай мне: что бы ни случилось, ты всегда будешь на моей стороне. А я уж позабочусь о тебе. О том, чтобы ты была счастлива. И мы будем с тобой счастливы. Вот поработаю немного, накоплю деньжат, и мы рванем с тобой в Сочи или Лазаревское, купим там дом на море, чтобы и сад был... Ты нарожаешь мне детишек, и будем мы с тобой жить да поживать... У меня там сеструха живет, они с мужем недавно дом купили, коз держат, все для туристов, понимаешь? Развернулись, короче.

— У тебя есть сестра?

— Ну да, Тонька! Она хоть и косит немного, еще с детства, а мужика отхватила себе нормального, с понятием. Вот я и подумал: а мы чем хуже? Ну, как тебе мой план?

Надя бывала в Лазаревском. И живо представила себе большой чистенький домик с верандой, увитой виноградом, сад с разросшимися абрикосовыми и персиковыми деревьями с отяжелевшими от плодов ветвями, розовые кусты, обрамляющие зеленую лужайку с пледом, на котором играют маленькие дети.

— Хороший план, — неуверенно пробормотала она, смутно представляя себе, сколько же времени понадобится Виталию для того, чтобы заработать на такой рай. Спросить его об этом она не осмелилась.

Огненной вспышкой промелькнула мысль: а что, если сейчас взять и убежать? Спрятаться так, чтобы Виталий ее не нашел? И тогда жизнь ее вернется в прежнее русло и будет протекать в тишине и уюте их с Лерой дома, потянутся вереницей наполненные планами о будущем школьные дни, с подружками и друзьями, какими-то нелепыми концертами, конкурсами, выставками, олимпиадами, экзаменами, походами, вечеринками... И все это будет так безобидно и весело, как раньше! И Лера будет ей на завтрак печь блинчики, тетя Тоня Воропай каждую субботу будет приносить им сметану и яйца, а рыбак Семен — свежую рыбу. Сосед Чащин будет почти каждый вечер сидеть рядышком с Лерой на диване перед новенькой плазмой и смотреть сериал. А Надя в своей комнате, закончив все дела, устроится перед компьютером и будет втайне от бабушки играть в игру с чародеями, воинами и волшебниками.

Вечером Виталий привез Надю домой, наказал не выпускать из рук телефон, быть всегда на связи.

— Так ты выйдешь за меня? — спросил он ее уже на крыльце, когда рука ее коснулась двери. Виталий стоял рядом, и у него был вид человека, который оттягивает момент расставания. Или же Наде это только показалось?

— Хорошо, выйду... Но только мне надо будет поговорить об этом с бабой Лерой.

— И поговоришь. Только позже, когда все устроится. Ну все, зайка, жди моего звонка.

Лера была дома. Скандал не устроила, увидев внучку на пороге. Подошла, обняла.

— Я все понимаю, конечно, любовь. Но он чужой, понимаешь? О нем никто и ничего не знает. Бабы рассказывали — видели же вас на свадьбе, что красивый он, справный, высокий, смотрит так, что кровь у девок закипает, но что дальше? А, Надя?

— Ба, я не знаю...

— Вы где с ним были-то?

— В лесу, в доме каком-то большом. Там все как в сказке.

— Это, случаем, не дача губернаторского сынка, Капустина? Говорят, он прячется здесь от своего отца, баб возит, пьянки устраивает, а летом — охота, рыбалка...

— Я не знаю. Но ясно, что не местных этот дом. Богатый, большой. Там внутри все новое.

— Может, этот Виталий твой — друг Капустина, и тот ему ключи дал?

Баба Лера, хоть и хотела казаться спокойной, разговаривала, как под дулом пистолета — голос ее дрожал.

— Он испортил тебя, девонька... — Лера обняла внучку. — Может, тебе путевку взять в дом отдыха, сменишь обстановку, придешь в себя... Ты словно горишь вся, таешь... Одни глаза остались.

— Не знаю, ба.

Лера проводила ее до комнаты, принесла полотенце.

— Я там тебе бойлер включила, вода, наверное, уже нагрелась.

— Ба, я чистая. Там такая душевая кабина! А ванна! На гнутых, словно золотых ножках...

— Надя, никому из подруг своих ничего не рассказывай. Вот просто молчи — и все.

Наде же хотелось только одного — раздеться, надеть пижаму и лечь под одеяло. Спрятаться от своих мыслей. Уснуть, чтобы проснуться с ясной головой и знать уже, как жить дальше.

Виталия не было целых три дня.

Надя все это время лежала неподвижно на кровати и прислушивалась к звукам, доносящимся с улицы в открытую форточку, — не скрипнет ли снег под сапогами любимого, не бухнет ли тяжелая входная дверь, впустив его в дом.

Даже голос бабы Леры, говорившей в своей комнате по телефону с пасечником, она воспринимала как тихую ее беседу с внезапно появившимся Виталием.

Она слышала то, что хотела. А иногда, поднявшись с постели и устроившись возле окна и подперев щеки ладонями, она видела приближающуюся к их дому мужскую фигуру, точь-в-точь как у Виталия. И так было всякий раз, даже когда проходивший мимо окна человек в конечном счете оказывался стариком, подростком, а то и вовсе женщиной...

Телефон молчал. Не звонили даже подружки, как чувствовали, что ей сейчас не до них.

Школа тоже отступила на второй план, и все прошлое как-то затуманилось, уступая место еще более туманному будущему.

...Телефон ожил в полночь. Разрезал печальную тишину комнаты, словно охотничий рог, призывая к действию. Надя судорожным движением схватила телефон и, услышав голос Виталия, почувствовала, как проваливается в преисподнюю бессознания.

— Зайка, собирайся, возьми все самое необходимое и выходи на крыльцо. Я жду.

Надя встала, моментально оделась, набила рюкзачок свитерами, трусиками и джинсами, положила в кошелек все свои сбережения (действуя снова в каком-то странном, сомнамбулическом состоянии, отчетливо понимая, что Виталий наяву бросил ее, пропал, а то, что сейчас происходит, — сон, где можно вести себя как заблагорассудится), набросила дубленку, нахлобучила капюшон, спрятав волосы, и, осторожно ступая, выбралась из дома в сени, оттуда — на веранду, открыла дверь и вышла на крыльцо.

Снег искрился вокруг. Под фонарем, напротив калитки, стояла знакомая машина, из которой вышел Виталий. Поначалу он показался Наде пьяным, но потом она поняла, что он просто какой-то сонный или заторможенный. А может, и просто уставший.

— Наденька моя, — он сгреб ее в свои объятия. — Ну что, соскучилась по мне?

— Да, очень, очень! Я уже думала, что ты бросил меня!

— Ну какая же ты дурочка! Я же обещал тебе, что мы всегда будем вместе! Ну что, ты готова? Поедем. Садись в машину!

— И куда мы едем? Снова туда, в тот дом?

— Нет, на этот раз мы поедем в другое место. Но ты ничего не бойся, ты же со мной.

Машина медленно двинулась вдоль дороги и словно поплыла между сугробами в сторону станции.

У здания вокзала Виталий припарковал машину, вышел из нее, Надя, повинуясь его взгляду, последовала за ним. Круглосуточный киоск, светящийся изнутри, замело снегом. Виталий постучал в окошко, которое открылось не сразу. Появилась голова молодой женщины с растрепанными волосами.

— У вас водка есть?

— Ну да, есть. Вам какую?

Но вместо ответа Виталий мощно двинул кулаком внутрь окошка, послышался влажный и одновременно твердый звук, вскрик, звук падающего тела, сопровождаемый грохотом, после чего наступила тишина.

Он разбил ей лицо, подумала онемевшим рассудком Надя, не в силах пошевелиться от испытанного шока.

— Пойдем, зайка.

Виталий схватил Надю за руку и повел за собой, за угол, где решительно распахнул дверь и втащил ее в душную и провонявшую перегаром и табачным дымом утробу киоска.

Продавщица лежала вниз лицом на полу, уткнувшись в кусок пенопласта, служившего утеплением пола. Блондинка с непрокрашенными темными корнями волос, полная, в свитере и длинной вязаной юбке, обмотанная вокруг бедер пуховым платком, она напоминала бесформенностью мешок картошки.

Над ее головой, на противоположной стене от окошка, громоздился товар (тяжелые коробки с соком, бутылки с напитками), выставленный на сваренных самодельных металлических полках, об угол одной из которых продавщица и ударилась.

Белый пенопласт прямо на глазах Нади окрашивался льющейся темно-красной кровью.

— Виталя? За что ты ее? — спросила Надя, не сводя глаз со своего возлюбленного, вытряхивающего из картонной коробки выручку и рассовывающего деньги по карманам.

— Пойдем, зайка, нам надо спешить... У нас поезд...

— Она мертвая, мертвая... Она не дышит. Ты слышишь? Ты ее убил! Мы ее убили!!!

И Надя тихо заскулила.

2. Борис. Саратов, 2014 г.

Следователь прокуратуры Борис Петрович Гладышев, худощавый брюнет с синими глазами, в толстом черном свитере и джинсах, посмотрел на часы. Допрос обвиняемого длился почти три часа.

Сейчас почти восемь вечера. Надя давно покормила детей ужином, и они поджидают его всем семейством. Старший Владимир восьми лет и младший Денис, которого они все привыкли звать Дени, четырех лет. Его мальчики, его счастье, его отрада. Глядя на них, на Надю, невольно задумаешься о существовании Бога и станешь молить его, чтобы только с ними никогда и ничего не случилось. Чтобы не́люди прошли мимо них. А их много — полные тюрьмы, и все это реальность, которой им надо остерегаться. Уж Борис-то знает о них все. Убийцы, насильники, извращенцы, маньяки... Сколько он их уже видел-перевидел и сколько лет сдерживался, чтобы не расправиться с ними прямо здесь, в кабинете.

Он подошел к окну, распахнул его, впуская морозный январский воздух. Пусть кабинет проветрится. Может, конечно, этот Котельников и не убивал свою жену, но алиби-то нет... Да и мотив имеется — все окружение твердит, что у него, молодого директора трикотажной фабрики, была и есть любовница, хозяйка мехового салона, Тамара Будник.

Ладно, хватит уже об этом.

Свежий воздух заполнил кабинет, вытесняя притаившиеся по углам обрывки лживых фраз, произнесенных Котельниковым, горький дух табака и запах самого преступления.

Все думают, что Борис толстокожий, что он давно уже привык к трупам и никак внешне не реагирует даже на самые жестокие картины убийств. Но это не так. Он все чувствует, все пропускает через себя. Быть может, поэтому так и переживает за Надю, за мальчиков, потому что знает — опасность подстерегает каждого повсюду.

Быть может, Розу Котельникову убили случайно, перепутали с кем-то, может, она была свидетелем чужого убийства — и такое бывает. Или же ее действительно убил, размозжив голову мраморной лягушкой, остывший к ней и тяготившийся ею муж.

Но в кабинете пахло преступлением, и запах этот исходил от Виктора Котельникова, молодого, худощавого, с холодными глазами парня, которому так и хотелось съездить по физиономии, чтобы привести в чувство и заставить его подписать признательные показания.

Борис выкурил последнюю, как он полагал, сигарету за этот день, закрыл окно, привел в порядок бумаги на столе, спрятал папки с делами в сейф, запер его, надел куртку и вышел из кабинета.

В машине было холодно. Но включать обогрев смысла не было — дом в пяти минутах езды от прокуратуры, салон все равно не успеет прогреться.

А мороз градусов двадцать — двадцать пять. Кругом темно, улицы пустые, все нормальные люди уже дома, ужинают, отдыхают. Кто-то решил провести вечер в театре, кто-то — в ресторане. Сейчас многие ужинают в ресторанах, устраивают себе праздники. Женщинам это особенно, должно быть, приятно — можно не стоять у плиты, не мыть посуду. А вот они с Надей уже сто лет нигде не были. Ни в театре, ни в кино, ни тем более в ресторане. И все это из-за его работы. Полная занятость. Да и голова всегда работает, нет ей покоя. Другая бы на месте Нади давно бы уже устроила ему скандал, взорвалась бы. Надя же просто ждет его. Шутит еще, сравнивая себя с терпеливой и преданной женой великого комиссара Мегрэ. Она-то мужу скандалов не устраивала. Кормила его, собирала в командировки, вязала шарфы, грела домашние туфли и старалась как можно реже беспокоить мужа телефонными звонками. Золотая женщина!

— Вот и ты — мадам Мегрэ. Буду тебя так называть.

— Хорошо. Я согласна.

Надя — идеальная женщина. Таких не бывает. Борис никогда не говорил это вслух, не хвастался перед сослуживцами, да и вообще старался произносить ее имя как можно реже. Надя и мальчики — это его семья, его мир, куда он не хотел впускать вообще никого из своего окружения. Работа — это работа. Семья — это то важное, ради чего он и занимается своей работой, подчас рискуя жизнью. И не столько ради денег, сколько ради наведения порядка в том обществе, в котором ему приходится жить. Будь его воля, он увез бы семью подальше из этого города, куда-нибудь, где самый маленький процент преступности. Швейцария, Ирландия, Исландия... Только не в Японию. Япония — это как другая планета. Нет, не Япония...

«И далась мне эта Япония?»

Борис поставил машину на свое, отвоеванное во дворе место под своими окнами, расположенными на втором этаже девятиэтажного дома, вышел, открыл багажник и достал коробку, перевязанную бечевкой. В кондитерскую он заезжал еще в обед и купил так любимые Надей и детьми берлинские слоеные пирожные.

Он поднимался в лифте, представляя себе, как обрадуются сладостям мальчики, как обнимет его и поцелует Надя.

«Мадам Мегрэ, ваши любимые берлинские пирожные!» — вертелось уже на языке, когда он подошел к двери и позвонил. Затем еще раз. Было странно, что ему так долго не открывали. Обычно Надя сразу же возникала за дверью, он слышал ее шаги, смотрела в глазок (он взял с нее клятву, что ни она, ни дети никогда не откроют двери незнакомым людям), после чего со словами «А вот и папа пришел!» открывала.

— Надя? — негромко позвал он, стараясь не привлекать внимания соседей своим голосом.

Но за дверью было непривычно тихо. Борис достал ключи и отпер один за другим все три замка. Распахнул дверь. Сердце его колотилось. Куда все подевались? Господи, хоть бы с ними ничего не случилось!

В их семье было принято предупреждать практически о каждом шаге, перемещении Нади ли, детей. Когда Надя отправлялась, к примеру, за покупками в город, она звонила Борису, чтобы сообщить ему об этом, а если он бывал очень занят и долго не отвечал на звонок, отправляла ему сообщение «Я поехала на рынок». На этих звонках и сообщениях настаивал сам Борис. «Чем бы я ни занимался, где бы ни был, я всегда буду рад твоему звонку, я должен знать, где вы, чтобы в случае опасности прийти к вам на помощь».

Безусловно, чужие люди, узнай они об этой особенности их отношений, об этих правилах, были бы удивлены. Надя же, всегда помня о специфике профессии мужа и понимая, что все это делается исключительно из самых лучших побуждений человека, каждый день сталкивающегося со злом, неукоснительно выполняла все его просьбы, соглашалась и с другими его странностями. Главным для нее было — душевный покой Бориса.

И что же случилось теперь? Куда они все подевались? Он позвонил: Надя была вне зоны действия сети.

Борис, решительно заглядывая во все комнаты квартиры, по пути включая повсюду свет, взглядом опытного следователя искал следы борьбы или признаки беспорядка, которые указывали бы на беду. У Нади было одно свойство, которое, может, у другого мужчины вызывало бы раздражение или усмешку, а у Бориса — чувство восхищения и уважения: Надя была чрезмерно аккуратна. За что бы она ни бралась, все делала настолько чисто и идеально, раскладывая все в стопочки, ряды, что, даже находясь где-нибудь в гостях, скажем, у своей свекрови, у матери Бориса, Евгении Спиридоновны, она и там находила какие-то вещи или предметы (оставленная на журнальном столике книжка, рассыпанные конфеты, обувь в прихожей), которые машинально прибирала, складывала, придавая даже живописному беспорядку четкие линии.

Сейчас же, осматривая квартиру, он как будто бы успокоился, обнаружив, что ничего, что не было бы аккуратно сложено, нет. Все как обычно. И обувь в прихожей стоит на полу ровно, парами.

Вот только детей нет и Нади.

Он сразу же позвонил матери. Голос его дрожал:

— Мама? Дети у тебя?

— Да, Боренька, не волнуйся, у меня... Я как раз собиралась тебе звонить. У Нади проблемы с телефоном, разрядился... Она привезла мне еще днем мальчиков, сказала, что у нее умерла какая-то родственница, что она хочет успеть на похороны, что потом позвонит и все подробно расскажет и объяснит, и уехала.

— Да? — У Бориса даже голос пропал. Он начал сипеть. — И что же? Она тебе больше не позвонила?

— Нет, но, думаю, еще позвонит. Все-таки у человека горе. Надя очень эмоциональная, думаю, она тяжело переживает семейную трагедию.

— Мама, а она не сказала, где жила эта тетя? Где похороны? Куда она поехала-то?

— Нет. Но я думаю, что похороны там, откуда она родом — станция Сенная. Ты, сынок, звонил ей?

— Конечно, звонил. Ее телефон вне сети или выключен.

— Ну, правильно. Она так и сказала мне, что он у нее разрядился. Знаешь, так всегда бывает — когда нужен телефон, он оказывается разряжен. Уж не могут изобрести батарейки помощнее. Так ты приедешь?

— Не знаю. Я должен найти Надю. Или связаться с ней. Вот найду, поговорю, тогда и приеду к тебе. Пока, мам.

В квартире было так тихо, что уши заломило.

Борис еще раз прошелся по комнатам. В спальне заметил легкую примятость на покрывале, словно там лежало что-то тяжелое. Сумка? Чемодан? Или кто-то сидел?

Он бросился в кладовую — чемодан оказался на месте. Да и вещей в шкафу как будто бы не убавилось.

В детской комнате на ковре игрушки остались в таком виде, словно ими играли до определенного момента, после которого дети как-то быстро встали, собрались и покинули комнату. У Нади не было времени прибрать за ними. Вот он — элемент беспорядка! Неожиданность! Хотя все правильно. Умерла родственница. Конечно же, это было неожиданно, иначе Надя рассказала бы ему, предположим, о болезни своей родственницы, уж как-нибудь да точно прокомментировала это. Что тетя заболела, что дела совсем плохи...

Но вот о тете они вообще никогда не говорили. О Лере, Надиной бабушке, вспоминали часто. Надя с ней перезванивалась, Лера посылала им поездом через знакомую проводницу посылки с деревенскими продуктами: медом, сметаной, замороженной птицей. Лера, слава богу, была здоровой, еще крепкой женщиной в свои шестьдесят семь лет. И вряд ли мама что-то спутала, назвав бабушку тетей.

Борис бросился в прихожую, где на полочке лежал толстый блокнот с номерами телефонов. Уголки страничек, вырезанных ступенчато в алфавитном порядке, были потрепаны. Вот она, буква «Л». Он без труда нашел телефон бабы Леры, позвонил.

— Да, Боря, слушаю, — услышал он спокойный, как всегда, голос Леры.

— Надя у вас, Валерия Николаевна? — спросил и затаил дыхание. Промелькнуло: какое же это страшное чувство ожидания беды. Предчувствие надвигающейся катастрофы. Страх потери.

— Нет. А что, она должна быть у меня?

Бориса словно током ударило. Он даже говорить не смог. Несколько секунд молчал, собираясь с силами.

— Валерия Николаевна, у Нади есть тетя? Тетя, которая умерла и к которой она на похороны отправилась?

— Я, конечно, очень люблю свою внучку, — после паузы проговорила уже более тревожным голосом Лера, — но никогда не покрывала и покрывать не стану. Нет у нее никакой тети. Боря, ты поверь мне, я вырастила Надю... Все что угодно предполагай, даже самое страшное, но только не измену. Она любит только тебя. Ты понял меня? Она в беде, разве ты еще не понял, не прочувствовал? Ищи ее, — вот теперь и в ее голосе появились страх и паника. — Ты за нее в ответе. У вас дети. Если нужно, я приеду.

— Я вам потом перезвоню. А вы, если вам станет что-нибудь известно о Наде, сообщите мне, пожалуйста. У вас же есть мой телефон?

— Да, конечно, есть. Господи, да что же на этот-то раз???

Что делать? Где ее искать? Что вообще случилось?

Были бы у нее подруги, он позвонил бы им. Да только не было у нее никаких подруг. Всех заменил ей Борис. Она всегда была с детьми, дома, выходила только за покупками, в поликлинику, детский парк. Вставала рано, готовила завтрак, кормила Бориса, мальчиков, провожала его на работу и до его прихода занималась детьми, домашними делами.

Борис вошел в кухню и замер. Ему показалось, хотя нет, не показалось — его воображение нарисовало ему Надю. В белом махровом халатике, сидящую за столом с чашкой кофе в руках. Солнце сверкает в ее огненно-рыжих волосах.

«Ты жену взаперти держишь?» — как-то спросил его коллега, Сергей Капустин.

Зачем сказал? Сидел за столом, что-то там писал, потом вдруг поднял голову, внимательно посмотрел на Бориса и задал этот дурацкий вопрос. Вопрос-обвинение.

Помнится, Борис ему тогда ничего не ответил.

Что они все знали о Наде? Да ровным счетом ничего. Видели, может, несколько раз, когда она приходила к нему на работу по каким-то важным семейным делам.

Тихая и скромная Надя в стенах прокуратуры смотрелась как-то иначе, чем дома. Вроде строгий костюм, узкая юбка, а фигура — как на ладони. Мужики в коридорах чуть шеи себе не свернули, разглядывая ее. Белая кожа, рыжие кудри, стройные ножки в туфельках на шпильках, спину держит ровно, шея длинная, взгляд надменный, с едва заметной насмешкой. Какая-то другая Надя, даже немного чужая.

...Борис оделся и выбежал из дома. Где ее искать?

Он принялся звонить своим друзьям из полиции, прокуратуры, вернулся домой замерзший, сделал копии ее фотографии и разослал по Интернету тем, кто мог бы задержать ее в аэропорту, на вокзале...

Стыд выжигал его изнутри. Он был уверен, что никто из его окружения даже и мысли не допускает, что с ней случилась беда. Все думают, что она сбежала от него с любовником. Борис просто чувствовал это.

Но это ведь невозможно! Она любит его, а он любит ее. Они — одно целое. Их невозможно разделить.

И если она ушла, уехала, значит, это было необходимо.

Он снова позвонил матери.

— Мама, как Надя выглядела? Во что была одета? Ты заметила что-нибудь особенное в ее внешности поведении?

— Боренька, ну конечно, она выглядела очень расстроенной. Глаза были заплаканы. На ней были джинсы и дубленка. На голове — черная шапочка. Я еще удивилась, что она надела шапку. Я же знаю твою Надю — она терпеть не может шапок. Всегда говорила, что у нее волосы вместо шапки...

— Как? Как ты сказала: «говорила»? Почему в прошедшем времени?

— Боря, да что ты такое говоришь?!

— Ладно, мама... Скажи, она ничего не говорила, как будет добираться до места: на машине, поезде или самолете?

— Я так поняла, что она без машины. Ее машина в ремонте, насколько мне известно. Да-да, она еще сказала, чтобы ты забрал ее в субботу. Вот, хорошо, что вспомнила. Ты же знаешь, где машина?

— Знаю. И мастера ее знаю. Сейчас позвоню. Господи, как же я раньше не догадался? Ладно, мам, спокойной ночи. Поцелуй мальчиков за меня. А я приеду позже.

Он позвонил мастеру, его звали Дима. Тот подтвердил, что машина будет готова только через два дня, в субботу.

Спросить его открытым текстом, не видел ли он Надю, не приходила ли она к нему за машиной, не обманывает ли она его, он не мог.

Полночи он провел в метаниях между домом и двором. Дома прислушивался к звукам, доносящимся из-за двери. На улице, во дворе высматривал прохожих, пытаясь разглядеть Надю. Замерз. Дома выпил виски, немного согрелся. Вышел из квартиры и позвонил соседке, Валентине Семеновне. Разбудил, конечно.

— Борис Петрович? — Соседка, кутаясь в халат, смотрела на него маленькими заспанными глазками. — Что-нибудь случилось?

— У меня жена пропала, — выпалил он, словно нашел наконец объект, перед которым он мог бы выговориться. — Отвезла детей моей матери и исчезла. Ее нигде нет. Придумала какую-то тетю...

Он шептал, но шепот был громкий, напряженный, даже в горле заломило.

— Да вы зайдите ко мне, поговорим, — сказала она.

— Нет-нет, лучше ко мне. А хотите виски?

— Почему бы и нет?

Валентина Семеновна была женщиной одинокой, но не вредной, не злобной, жила уединенно, практически ни с кем не общаясь. Презирала, по словам Нади, соседок-сплетниц. Очень любила Вову и Дени. Когда они были совсем маленькими, она присматривала за ними, когда Наде нужно был срочно куда-то отлучиться.

Борис усадил ее на диване в гостиной, принес бокалы. Разлил виски.

— Скажите, вам что-нибудь известно? Где она может быть? Вы кого-нибудь видели?

— Видела. Уж так случилось, что я как раз в этот момент выходила из дома, собралась в магазин за хлебом. Так не хотелось мне мерзнуть, на улице-то какой мороз!

— Кого вы видели? Где? Поконкретнее, пожалуйста.

— Мужчину. Он как раз стоял перед дверью и разговаривал с вашей женой.

— Опишите мне его.

— Высокий, худой. Не молод. Лицо, знаете, такое суровое, мужественное.

— О чем они говорили?

— Это он говорил, а она стояла и слушала. И вид у нее был растерянный и, я бы даже сказала, испуганный.

— И что потом?

— Не знаю. Мне надо было идти.

— И больше ничего?

— Нет.

— Время точно вспомнить можете?

— Приблизительно одиннадцать утра.

Борис никогда еще не чувствовал себя таким глупым и слабым. И как хорошо, подумал он, что людям не дано еще читать или слышать мысли друг друга. Иначе Валентина Семеновна подумала бы, что он просто идиот. Так задавать вопросы, в такой наиглупейшей последовательности! Хотя она неплохая женщина, душевная, со слов Нади, разумеется. Значит, все поймет и простит. Все-таки пропала жена.

В последнее время эта пожилая соседка была, пожалуй, единственным человеком из чужих, с кем Надя общалась. Пусть по-соседски, но все равно.

— Валентина Семеновна, скажите, быть может, накануне вы виделись с Надей, и она показалась вам расстроенной, обеспокоенной чем-то? Может, вы раньше видели рядом с ней этого человека?

— Нет-нет, ничего такого, Борис Петрович, я бы запомнила это лицо. Он же похож на Кощея Бессмертного! Такими лицами только детей пугать.

— Он что, настолько уродлив?

— Как сказала одна моя знакомая о женщине с раздутыми, словно от флюса щеками: у нее такая модель лица. Вот и у него тоже такая модель лица. То есть он от природы такой — с большими глазами, высокими скулами, впалыми щеками, высоким, изрезанным морщинами лбом. Ну, может, ему лет пятьдесят. И раньше, повторю, я его не видела. Я понимаю ваш вопрос... Я вам так скажу: я Надю никогда не видела с другими мужчинами. И если она пропала, то уж точно не из-за мужчины. Я, Борис Петрович, человек наблюдательный. Сами знаете, живу я одна, мне бывает очень тоскливо и скучно. Своей семьи нет, ни мужа, ни детей, ни внуков. Конечно, я волей-неволей наблюдаю за другими людьми. А поскольку мы с вами соседи, то сами понимаете, кое-что вижу, понимаю... Так вот, Надя — чудесный человек. Очень добрая, спокойная, прекрасная мать и, безусловно, верная жена. И вся ее жизнь вне дома происходит почти на моих глазах. Я в окно вижу, как она гуляет с мальчиками. Встречаю ее в магазине. Один раз видела на рынке, мы с ней вместе выбирали мясо. Она домашняя женщина, понимаете? Не сплетница. Не скажу, чтобы была молчуньей, она любит поговорить, но все больше о прочитанной книге, о просмотренном фильме. Пофилософствовать любит, чувствуется, что она от природы умница, да только образования ей не хватает. Насколько я могла понять из общения с ней, она очень сожалеет именно об этом — что не занималась своим образованием. Она так и говорила мне, что, мол, дети вырастут, муж сделает карьеру, а я так и буду стоять у плиты.

Борис почувствовал, как жаркая волна окатила его с головы до ног. Это был стыд. Ему было стыдно перед соседкой за то, что его жена была несчастлива с ним. Что ей хотелось развиваться, а он, вместо того чтобы хотя бы попытаться понять ее, сам решил, что требуется для ее счастья: дом, семья, дети.

Зная, что Валентина Семеновна никогда и ни с кем не станет обсуждать его проблемы, он признался:

— Представляете, а она никогда не говорила мне о том, что хочет учиться.

— Да она просто боготворит вас. Она любит вас так, как если бы вы были ее личным богом. Она готова молиться на вас.

— С чего это вы взяли?

— Да это же бросается в глаза. А еще... Может, в другой раз я бы и не сказала вам, но алкоголь развязывает язык... К тому же, быть может, мои слова помогут вам лучше понять свою жену.

— Что, что еще случилось? — раздраженно спросил Борис, которому виски тоже ударило в голову.

— У меня сложилось такое впечатление, будто бы Надя боится вас.

— Меня? Да что вы такое говорите? Как? Почему? Она что, сама вам сказала?

— Боже упаси! Она вообще никогда о вас ничего не говорила. Но я же вижу, как она старается, как наводит порядок, как вылизывает квартиру, готовит и при этом умудряется хорошо выглядеть, чтобы понравиться вам. Вроде бы все нормально, и ее поведение можно расценивать как желание понравиться любимому мужу, если бы, знаете, не ее глаза, ее взгляд... Словно она боится чего-то.

— Но чего ей бояться?

— А вы сами ничего никогда не замечали? Никогда не видели ее слез?

— Она редко плачет... Посмотрит какой-нибудь фильм и плачет. Или дети заболеют, и она чувствует себя беспомощной, сидит и плачет... Но, поверьте мне, я никогда ее не обижал! Я не изменяю ей...

Тут Борис понял, что зашел в своей откровенности слишком далеко. И что, сам того не желая, впустил соседку в свою личную жизнь. Он с матерью так давно не разговаривал, как с Валентиной Семеновной.

Однако, осознав это, уже не мог остановиться и продолжил, нисколько не стесняясь:

— Да Надя для меня — все! Она — вся моя жизнь. И она знает это. Ей нечего было бояться. И то, что она пропала, вернее, чего уж там, ушла от меня, осознанно отправив детей к моей маме, говорит лишь о том, что у нее есть другой мужчина. Быть может, вы просто покрываете ее? Женская солидарность, так сказать.

— Нет-нет, даже и не думайте! — Соседка замахала руками. Лицо ее разрумянилось, глаза повлажнели. Борис вдруг подумал о том, что человек с такими добрыми глазами и открытым взглядом не может лгать. — Понимаете, я бы никогда не согласилась пить с вами виски в такой ситуации, если бы Надя доверила мне свои тайны. Я здесь исключительно потому, что точно знаю — Надя вам никогда не лгала и у нее никого нет. И ей нечего от вас скрывать. Так же, как и мне. И если она ушла, тем более без детей, то есть успела позаботиться о них, свидетельствует о том, что у нее на это были причины. Серьезные. Однако не связанные с другим мужчиной.

— Она сказала моей матери, что поехала на похороны тети. А никакой тети у нее нет. Я знаю это точно. Разговаривал недавно с ее бабушкой.

— Да-да, она рассказывала мне про свою бабушку, которую она звала просто Лерой. Она очень любит ее и считает чуть ли не своей матерью. Насколько мне известно, мама Нади бросила ее, когда та была совсем крошкой. И ее воспитывала как раз эта Лера.

— Да, и это именно Лера сказала мне о том, что нет ни тети, ни похорон...

— Борис, а вам не приходило в голову, что ее исчезновение может быть связано с вашей профессиональной деятельностью?

— Мне даже страшно подумать об этом, — признался Борис. — У нас бывали такие случаи, когда, чтобы отомстить следователю, вредили его семье...

— У вас есть враги?

Он усмехнулся.

— А вы как думаете?

— Вы — следователь прокуратуры, в ваших руках — жизнь преступников. И от вас подчас зависит судьба людей, вернее, нелюдей.

— Это вы точно заметили. Большинство из них — нелюди.

— Вот и я о том же. А у этих нелюдей есть родные, близкие, которые, быть может, не согласны с тем, что вы делаете...

— Да понимаю я все, — Борис закрыл лицо руками и замотал головой. Разве она не понимает, что причиняет ему своими словами боль? — Знаете, если так, если ее похитили или с ее помощью решили мне отомстить или решить какие-то свои вопросы, а подозревать в этой ситуации я могу практически всех тех, чьи дела я веду, то уж пусть лучше у нее будет любовник, и не один...

Он все-таки сказал это вслух. Это все виски.

Валентина Семеновна положила свою пухлую руку на его плечо.

— Борис, а что, если тетя все-таки есть, и Лера просто о ней не знает... Может, это не родная тетя, а просто родственница. Или, что тоже может быть, Надя просто разыскала свою мать и решила встретиться с ней втайне от всех?

— Я тоже думал об этом. Но зачем делать из этого тайну? Кто может осудить ее за то, что она решила с ней встретиться? Это ее дело, понимаете? Простить или не простить... Мать... Что тут скажешь? Но мы прожили с Надей одиннадцать лет, и она хорошо знает меня, она не стала бы скрывать от меня подобные вещи.

— Борис, вы извините меня, но мне нужно идти. Я и так задержалась у вас. Простите, если сказала что-то лишнее. Я от души, от всего сердца хотела вам помочь. Не знаю, поверили ли вы мне относительно личной жизни вашей жены, но Надя — кристальной чистоты женщина. Это мое мнение. Вы, безусловно, лучше ее знаете, сами сказали, что прожили с ней одиннадцать лет.

Она перевела дух, поднялась и, покачиваясь, направилась к выходу.

— Постойте! Вспомнила... Хотя не уверена, что это может вам как-то помочь... В ногах этого Кощея стояла большая дорожная сумка. Вернее, не такая уж и большая, длинная, вытянутая, думаю, что это скорее даже спортивная сумка, темно-синяя, там название написано английскими буквами, а над названием летящая белая пантера или пума...

— Название длинное?

— Достаточно, первая буква, кажется, «S» латинская...

— А вы на самом деле наблюдательная.

— Вот и взяли бы меня к себе на службу. Глядишь, и сгодилась бы...

Валентина Семеновна вздохнула, улыбнулась своим мыслям, Борис открыл ей дверь и проводил до квартиры.

Он вернулся домой, плеснул себе еще виски. Как-то быстро все разрушилось. И ощущение нависшего над ним неблагополучия, пустоты и холода поселилось в сердце.

Словно и не было семьи, детей и Нади. Но не приснилось же ему все это? И мальчики у мамы. И те одиннадцать лет, что он считал себя счастливым, — разве это не было пьянящей реальностью?

Ну не мог же он себе все это придумать, а Надя все эти годы жила притворством?

Надя. Впервые он увидел ее в 2001 году, в следственном изоляторе. Сообщница убийцы.

Бледная, с растрепанными рыжими волосами, доходящими ей до талии. В глазах — страх и еще раз страх! Совсем девчонка, школьница еще, ей было тогда всего-то шестнадцать.

Бандит, вор, убийца, Виталий Бузыгин за неделю до задержания ранил ножом бизнесмена Валерия Кротова, заставив его снять с банкомата всю имевшуюся там наличность, и позже убил продавщицу круглосуточного ларька Ларису Пономареву, забрав всю выручку. После чего с Надеждой Юфиной сел на поезд Барнаул — Кисловодск.

Двадцатидвухлетний Борис Гладышев, студент Академии права, проходивший практику в районной прокуратуре, окунулся в это дело с головой...

3. Надя. Саратов, 2014 г.

Ее звали Катя Строганова, она тоже была родом с Сенной, училась на класс младше Нади. Они повстречались года два назад, в городе, зашли в кафе, разговорились. Катя давно живет в городе. Работает на кондитерской фабрике. Замужем, детей нет. Муж преподает в университете экономику. Катя искренне обрадовалась встрече с землячкой, они вспомнили своих знакомых, подруг, учителей, обменялись телефонами, адресами.

— Ты только не исчезай, — сказала при расставании Катя, обнимая Надю. — Все-таки мы — свои. Мой муж, он... как бы тебе это сказать... Словом, я так и не поняла, зачем он женился на мне. Мы с ним совсем разные. Он умный, почти ученый, а я — простая девушка, работаю на кондитерке, пеку вафли, печенье. Мне с ним и поговорить-то не о чем.

Надя пообещала ей звонить и обещание свое сдержала, звонила несколько раз, но ей никто не ответил — абонент был всегда либо выключен, либо находился вне зоны действия сети.

Вот и в тот день было то же самое. И Надя рискнула отправиться прямо домой к Кате. Понимала, что действует не совсем правильно, что надо бы предупредить о своем приходе, но обстоятельства складывались таким образом, что ей надо было куда-то спрятаться, исчезнуть, и так, чтобы Борис ее не нашел. О существовании Кати он не знал, как не знал и о многом другом...

Катя жила в центральной части города неподалеку от городского парка, в многоэтажке.

Надя поднялась, позвонила в дверь. «Господи, сделай так, чтобы она была дома...» — твердила она про себя, всматриваясь в дверной глазок, вмонтированный в плоть дерматиновой обшивки двери.

И вдруг она услышала:

— Кто там?

Это был женский голос, но только очень тихий.

— Катя? Это я, Надя. Надя Юфина, помнишь меня?

Дверь открылась, и она увидела закутанную в черную длинную шаль Катю. Волосы ее были спутаны, взгляд потухший. В руке дымилась сигарета.

— А.. Это ты. Проходи, — она отступила, пропуская Надю в квартиру. — Прямо и первая дверь налево.

У нее кто-то умер. Скорее всего, муж. Это было первое, что пришло на ум.

Катя почти подтолкнула ее в комнату, после чего заперла за собой дверь на ключ.

В комнате было темно, Катя включила свет, и Надя увидела смятую постель, разложенную на диване, стол, заставленный стопками грязных тарелок и чашек, повсюду беспорядок, вещи раскиданы по стульям и креслам. Под ногами ковер, который не пылесосили несколько месяцев.

— Катя, дорогая, что случилось? Он умер? — спросила Надя ее прямо в ухо. — Я не вовремя...

— Да уж лучше бы он умер, — ухмыльнулась Катя.

Надя всмотрелась в ее лицо. Случилось что-то страшное, ужасное, иначе откуда это нежелание жить, о котором кричит каждый предмет в комнате, каждая пылинка!

— Мы развелись, Надя. Но продолжаем жить под одной крышей. И он приводит сюда другую женщину. А я, я... я медленно умираю...

Глаза ее моментально наполнились слезами, она бросилась к Наде, крепко обхватила ее за шею, прижалась к ней. И тихо, но сильно разрыдалась.

— Почему ты умираешь?

— Потому что он больше не любит меня.

— Но от этого не умирают. Жизнь-то продолжается. Где он сейчас, дома? И вообще, как его зовут?

— Саша. Его сейчас нет. Он будет только поздно вечером. И придет не один. Они будут слушать музыку, смеяться вот за этой стеной, — Катя широко раскрытыми глазами уставилась на стену, и на какой-то миг показалось, словно она слепая. — Потом по квартире поплывут запахи еды... Еще я услышу плеск воды в ванной комнате, будет громко работать телевизор, и снова они будут смеяться... Надя? Ты просто так зашла ко мне или тебя нашли мои подруги с кондитерки?

— Нет-нет, никаких подруг твоих я не знаю. Я пришла к тебе, потому что мне больше некуда пойти.

— А у тебя что случилось? С мужем поссорилась?

— Можно сказать, что и так... Приютишь меня?

— Да, конечно! Живи, сколько хочешь! Выпить хочешь?

— Я не пью.

— Вот и я тоже. Но, говорят, при стрессе помогает. Я вот пока только курю.

— Послушай... не знаю, как тебе сказать... Словом, никто не должен знать, что я у тебя.

— Постой, Надя... Насколько я помню, у тебя семья, муж и двое сыновей. Надеюсь, все здоровы?

Вот сейчас ее глаза потеплели, и Катя начала оживать. Словно чужая беда, проблемы пробудили в ней саму жизнь.

— Да, слава богу, все здоровы. Детей я отвезла к свекрови, там о них позаботятся. А мне нужно решить одну проблему. И когда я ее решу, то, может, смогу вернуться домой, к мужу и детям и постараюсь восстановить все, что придется разрушить своим исчезновением. Во всяком случае, я этого очень хочу.

— Ты хочешь сказать, что тебя сейчас ищут... Что ты не просто так ушла, хлопнув дверью, как это поначалу сделала я, узнав о том, что у Саши есть другая женщина и что он собирается на ней жениться? Я же почти неделю не появлялась дома, не помню даже, где бродила... Три ночи спала с бомжами у теплотрассы... Хорошо, что нашла в себе силы вернуться, иначе замерзла бы или меня бы вообще убили...

— Господи, Катя!

— Вот такие дела... Правда, на этом дело не закончилось. Я же себе вены вскрыла, вот! — и Катя, задрав рукава кофты, показала перебинтованные запястья.

Надя похолодела. Это какую же надо испытывать душевную боль, чтобы решиться на такое! А ведь Катя — вполне здоровая, рожденная в деревне девушка. Спокойная, неторопливая, улыбчивая. Белокожая брюнетка с всегда розовыми щеками. Правда, сейчас она выглядит заметно похудевшей, как после тяжелой болезни. Но главное, не заострять внимания на попытке самоубийства, превратить это если не в шутку, то, во всяком случае, попытаться отвлечь Катю от случившегося кошмара.

— Уф... Главное, что все это в прошлом... Катя, дорогая, надо смотреть вперед.

— Все это слова, ты же сама это понимаешь. Можно говорить все что угодно, только легче от

Анна Данилова

этого не становится. Да? Ладно, давай о тебе. Ты
почему ушла? Мужу что-нибудь сказала?

— Нет. Я просто ушла, без всякой видимой
причины. Практически без вещей. Взяла только
документы да детей отвезла к свекрови. Сим-карту
выбросила, чтобы меня не вычислили. Кстати говоря, ты не поможешь мне с новой сим-картой?

— Да без проблем. Надя, да что случилось?

— Понимаешь, мой муж — следователь прокуратуры. И вся эта история связана с ним, с его
делами... Поверь, я бы рассказала тебе, но просто
не могу, не имею права.

— Все-все, я не буду тебя больше мучить. Ты
мне скажи, чем тебе помочь, и я все для тебя сделаю. Заодно отвлекусь от своих мыслей. Сим-
карту? Купить? Да я прямо сейчас смогу это сделать. Послушай, но он же будет тебя искать. Под-
нимет на уши всю полицию, прокуратуру.

— Пусть поднимает. Я потом что-нибудь придумаю, а пока мне и в голову ничего не идет... Главное для меня — встретиться с одним человеком...

— С мужчиной?

— Нет, ты не подумай ничего такого. С женщиной. Быть может, я когда-нибудь тебе все расскажу.
Но только не сейчас. Катя, пожалуйста, купи мне
сим-карту... И еще. Я дам тебе денег, ты поедешь
на вокзал с моим паспортом и купишь мне билет
в Москву, на поезд. Постарайся, чтобы кассирша
тебя не запомнила. Придумай что-нибудь. Очки
надень, шапку нахлобучь так, чтобы лица было не
разглядеть... Я знаю Бориса, он будет искать эту
кассиршу, он попытается выяснить, когда поймет,
что в Москву никто не поехал, кто покупал билет.

— А ты, значит, в Москву не поедешь... — Катя наморщила лоб, пытаясь осмыслить услышанное.

— Конечно нет. Просто выиграю немного времени, отвлеку тех, кто меня ищет. И еще, Катя... Поскольку мне придется какое-то время пожить у тебя, купи продуктов и все, что ты сочтешь необходимым. Мыло, шампунь, ну, ты поняла. Деньги у меня есть. Сейчас я дам тебе евро, ты их поменяешь и все купишь. Постарайся потратить всю сумму, потому что все то, что мы с тобой сейчас делаем, входит в мой план. Хороший план, не бойся. Грубо говоря, ты должна будешь продемонстрировать своему мужу и его подружке, что ты ни в чем не нуждаешься. Как будто бы тебе с неба упали деньги, понимаешь?

Катя растерянно смотрела на нее.

— Ты жить хочешь? Хочешь выкарабкаться из своей депрессии? Отвлечься? Начать новую жизнь наконец?

— Ну, конечно...

— Вот и следуй моему плану. Я помогу тебе, а ты поможешь мне. Так что действуй, а я постараюсь здесь немного прибраться.

— Да, конечно... Ты не представляешь себе, как мне стыдно за то, во что я превратила комнату...

Катя закрыла лицо руками.

Ей не хотелось жить. Разве ей было дело до разбросанных вещей и пыли?

Она собралась и ушла.

Надя вышла из комнаты и осмотрелась. Первым делом, воспользовавшись тем, что она в квартире одна, подошла к двери комнаты, в которой обитал супруг Кати Саша, и открыла ее.

Не удивилась, увидев, что и в этой комнате беспорядок, но только другой, более праздничный, сотворенный обезумевшей от любви и страсти парой. Разобранная постель, засыпанная апельсиновой и банановой кожурой вперемешку с недоеденным, разложенным на фольге шоколадом, раскрытыми коробками с конфетами, на столике — пустые фужеры, бутылка с недопитым шампанским, тарелки с остатками еды, на полу — женское белье, пепельница, полная окурков...

В ванной на полотенцесушителе два больших, свисающих почти до пола полотенца, темная кайма на стенках ванны, оставшаяся от грязной мыльной воды, на стеклянной полочке под зеркалом тюбики, флакончики, туалетные принадлежности, ватные тампоны, и все это присыпано розовой пудрой.

Ну и неряха эта дама, прибравшая к рукам чужого мужа!

В кухне в раковине — грязная посуда, мусорное ведро переполнено, пол, липкий от грязи и каких-то разводов...

Надя засучила рукава и принялась за уборку. Набрала в ведро горячей воды, сыпанула туда порошок и принялась повсюду вычищать грязь.

Ситуация, в которой она оказалась, казалась ей невероятной.

Сегодня утром, покормив детей завтраком, она, как обычно, занималась домашними делами, пока мальчики играли в детской. В дверь позвонили, она, как была, в домашнем халате и фартуке, подошла к двери, посмотрела в глазок и увидела незнакомого мужчину.

— Кто там? — спросила она, не собираясь открывать незнакомцу. Спросила просто так, мало ли что.

— Вам просили передать, — сказал мужчина.

— Что?

— Посылку.

— Оставьте под дверью и уходите, — сказала она, не собираясь нарушать инструкцию Бориса ни при каких обстоятельствах.

— Но я должен убедиться, что вы — Надежда Юфина, 1985 года рождения, родом со станции Сенная.

— Я покажу вам паспорт, не открывая двери...

— Это как?

— Цепочку не открою.

— Идет. Показывайте паспорт, а заодно и свое лицо.

Надя взяла с полочки газовый баллончик и, держа его одной рукой наготове, другой приоткрыла дверь и увидела перед собой мужчину, меньше всего похожего на курьера. Он был высокий, очень худой и мрачный. Просто ходячий скелет. Возраст было трудно определить. В его ногах стояла спортивная сумка.

Надя открыла паспорт на нужной странице и показала мужчине. Тот приблизил свое лицо и внимательно его рассмотрел.

— Как зовут вашу бабушку?

— Это еще зачем?

— Надо.

— Валерия Юфина.

— Какого цвета ее волосы?

— Такого же, как и мои. Рыжие, — ответила она, крайне удивленная вопросами. — Что-нибудь с Лерой?

— А... Валерия, Лера. Да, точно — Лера. Вот, вам велели передать, — он показал взглядом на стоящую в ногах сумку.

— Кто? Бабушка? Что там?

Вместо ответа мужчина развернулся и направился к лифту, который оставался на этаже, словно дожидаясь его. Двери раздвинулись, впуская его, и сразу же закрылись. Лифт уехал вниз.

Лестничная площадка хорошо просматривалась, даже в таком положении, через цепочку — она была пуста, и Надя быстро открыла дверь, схватила сумку и внесла в дом.

Захлопнула дверь. Сумка была относительно легкая, несмотря на свой объем.

В эту же минуту Надя услышала, как двери лифта открываются, она подбежала к двери и посмотрела в глазок: точно, снова этот «скелет», вышел из лифта, осмотрелся, вероятно, вернулся, чтобы убедиться, что она взяла сумку. И снова уехал.

Что там? Бомба? Она сама усмехнулась своему предположению. Можно было, конечно, позвонить Борису и рассказать о странном «курьере», о сумке, но тогда бы он разозлился на нее за то, что она все же открыла дверь незнакомому человеку, мужчине. Отругал бы ее, расстроился бы, уж она-то знает, насколько серьезно он бы отнесся к ее ошибке. Для него безопасность семьи — самое важное. К тому же не хотелось выглядеть в его глазах глупой и бестолковой гусыней, домашним животным с атрофированным мозгом. Не признаешься же ему, что любопытство взяло верх, и что упоминание имени бабушки сыграло в этой истории не последнюю роль.

Первое, что пришло в голову — это посылка от Леры. Хотя прежде посылки отсылались ей поездом, со знакомой проводницей, и представляли собой либо объемные корзины, либо картонные тяжелые коробки, набитые продуктами. Но это была спортивная сумка, к тому же довольно легкая.

Надя устроилась на коленях подле сумки и нагнулась, приложив ухо к молнии, не тикает ли механизм бомбы. Было и смешно, и страшно. Но ничего не тикало. Тогда она вышла в подъезд, подальше от детей, поставила сумку и дрожащей рукой, медленно потянула за язычок молнии, открывая ее. Пот катился с нее градом. Она понимала, что совершает безумный поступок, но и остановиться уже не могла. Да какая бомба?! Глупости все это! Миллионы людей получают какие-то посылки, и редко когда они взрываются.

Когда молния раскрылась наполовину, Надя потянула противоположные части верха сумки в разные стороны и осторожно заглянула в нее.

Там были деньги. Пачки денег. Уже это свидетельствовало о том, что ни о какой бомбе не может быть и речи. Какой идиот мог положить рядом с бомбой такие деньжищи?!

Пачки купюр по сто евро. Зеленоватые, словно лежащие под слоем воды — настолько они казались призрачными, нереальными.

Надя сунула руку в сумку и извлекла одну пачку. Аккуратная, но не в банковской ленте с печатью, а перетянутая тонкой розовой резинкой.

Это ошибка. Этого не может быть. Вероятно, в городе проживает еще одна Надежда Юфина, родом со станции Сенная, которой и предназначалась эта сумка. И что теперь делать? Искать эту Юфину? Да у нее еще и бабушку зовут Лерой!

Надя перенесла сумку в спальню, вытряхнула содержимое на ковер и принялась внимательно его изучать. Помимо денег, а их оказалось (у нее волосы зашевелились на голове!) миллион евро, на дне лежала жестяная коробка из-под шоколада, стилизованная под старину, красная, с изображенными на ней тремя хорошенькими девочками в шубках, присыпанных рождественским снежком, да еще с муфточками, на головах — меховые капоры. Не коробка — шедевр. Открыв крышечку, Надя высыпала оттуда несколько предметов, при виде которых у нее и вовсе пересохло в горле. Это были чудесной работы старинные броши. Или копии их. С изумрудами, бриллиантами, жемчугом. Фантастической красоты сокровища!

Их свет ослепил Надю, и на какое-то время она выпала из реальности, все заволокло темным туманом с каким-то горьковатым болезненным привкусом, и она вспомнила потускневший, как старый рисунок, фрагмент из своей прошлой жизни.

Поезд Кисловодск—Барнаул, стук (словно тяжелым металлом по ее нежной судьбе) вагонных колес, запах вина от губ мужчины, непрестанно целовавшего ее, его грубые руки, нервно срывающие с нее одежду. Темное купе, дрожащий, словно размазанный по темному зимнему небу бледно-лимонный диск луны в окне, преследовавший их до самого конца... В перерывах между страшными в своей неотвратимости и даже боли половыми актами мужчина включал свет, доставал из-под тоненькой подушки пачки замусоленных российских купюр и любовался ими, поглаживал их, приговаривая: «Красиво надо жить, Наденька, красиво, иначе нет смысла».

Бандит. Убийца. Вор. И ее первый мужчина. Как такое могло случиться, что она села с ним в поезд и поехала в жуткую неизвестность? Где, в каком сугробе она оставила свою разгоряченную голову?

Вырвавшись один раз из его объятий как бы в туалет, хотя весь организм ее дал сбой и ему не хотелось ничего, кроме сна и покоя, она, пошатываясь и держась за стенки узкого коридора вагона, все же добрела до туалета, заперлась там. И ее сразу вырвало. Она словно желала исторгнуть из себя все чужое, страшное, опасное, преступное... Она исторгала из себя картины убийства продавщицы из ларька. И ей хотелось сбежать, исчезнуть, спрятаться куда-нибудь подальше...

Возвращаясь лунным коридором в свое купе, она открыла дверь, скользнула в жгучую темень, забралась, не раздеваясь, на верхнюю полку, укрылась шерстяным одеялом, которое нашла свернутым в валик, и затихла. Сна не было. Продавщица с разбитой головой в луже крови преследовала ее.

Виталий внизу спал так тихо, словно его и не было. Словно сдерживал дыхание.

Поезд, скрипя, остановился на какой-то станции, в купе вошли двое. Надя подумала, что если Виталий сейчас проснется, то порешит и этих пассажиров, чтобы они только не мешали их уединению. Но Виталий спал крепко. Мужчины же, казалось, не собирались спать. Они сидели в освещенном светом с улицы полумраке купе, шуршали, раздавались звуки, похожие на те, которые бывают, когда извлекаются из сумок свертки с едой, бутылки с выпивкой, что-то режется на ломти, булькает в стакане... Мужики. Двое. Выпивали и закусывали. Они были слишком возбуждены, чтобы вот так сразу лечь и уснуть.

Перрон поплыл за окном, запахло копченым салом, колбасой, вареными яйцами... Голубоватый лунный свет, льющийся в окно с просторов заснеженной стылой России, освещал скромную трапезу с россыпью яичной скорлупы, бледным бруском сала, темным хлебом, бутылку, пластиковые стаканчики.

Виталий, вероятно растратив все свои душевные и физические силы в эту ночь, спал как убитый, несмотря на то что рядом с ним, касаясь его, сидел один из попутчиков.

Они разговаривали. Шепотом, но иногда этот шепот срывался на хрип или даже громкие радостные возгласы. Обрывки фраз, слова:

«...Васильевский остров, Меншиков, броши, кольца, сокровища, жемчуг, сабля, усыпанная бриллиантами, — подарок Петра Первого, деревянный дворец, прорыли канал, бассейн, вельможи, по пояс в воде, балы, Посольский дворец, миллионы долларов, ссылка, Меншиков, Петр, снова Меншиков, Малая Невка, план, рисунок, смотри, будем сказочно богаты...»

Надя впитывала все, что слышала. Картина вырисовывалась фантастическая и одновременно какая-то детская, навеянная ветром романтики и приключений.

Мужчины, довольно молодые, раздобыв карту какого-то бассейна, расположенного на Васильевском острове, собирались найти там клад Александра Меншикова, как будто бы того самого, фаворита Петра Первого.

Надя улыбнулась. Наивные дурачки. Кладоискатели.

В какой-то момент, когда она, вероятно, уснула на несколько минут, они покинули купе. Возможно, пошли курить в тамбур.

Надя быстро спустилась вниз, чтобы разбудить Виталия.

Она похолодела, когда, пошарив руками по нижнему диванчику, обнаружила, что он холодный и гладкий, без постели, и что там никого нет.

Сбежал!

Она включила свет, осмотрелась. Кроме нее, в купе никого не было. На столике была разложена закуска, стояли пластиковые стаканчики, бутылка с водкой. И потрепанная карта, густо исчерченная, с красными пометками в центре. Как в кино!

Усмехнувшись тому, что с ней происходит, всей этой нелепости, дурно попахивающей предательством и обманом, она схватила карту, сунула за пазуху и, выключив свет, вышла в темный коридор. С минуты на минуту могли вернуться кладоискатели.

В этот момент поезд проходил мимо какой-то станции, яркий свет уличных фонарей мазнул по длинному коридору вагона, освещая блеснувшие двери купе.

Раз, два, три, четыре...

Она вышла из третьего купе. Из третьего!!!

Надя дернула ручку двери четвертого по счету купе, вошла туда, закрыв за собой дверь, и продолжавший пульсировать в окне фонарный свет подтвердил ее счастливую догадку: Виталий был на месте, крепко спал на нижней полке, по-мужски грубовато похрапывая.

Сердце Нади билось почти в унисон со стуком колес.

Не сбежал! Просто уснул сразу после того, как она ушла. Разве мог он себе представить, что она, возвращаясь обратно, перепутает купе, заберется в чужое и окажется свидетельницей обсуждения чужого волшебного плана, что судьба сведет ее с кладоискателями или просто искателями приключений!

Как отреагирует Виталий на эти новости? Посмеется над ней или, наоборот, заинтересуется?

Пока она думала об этом, пока представляла, в соседнем купе было жарко от непрекращающейся ругани: кладоискатели, покурив в тамбуре, вернувшись, не обнаружили на столике своей карты, своей путеводной звезды, которая могла бы привести их к сокровищам!

Но это уже их проблемы. Для нее сейчас главное — удивить его, обрадовать, пусть он думает, что она приносит ему только удачу. Образ убитой продавщицы растаял в ночных купейных сумерках, растворился в ярких картинках с сундуками, набитыми золотыми монетами и сверкающими алмазной россыпью украшениями петровских времен.

Пусть он только выспится, отдохнет перед тем, как окунуться в новую жизнь.

Она хорошо помнила его пробуждение, когда она, расстелив на его коленях карту, принялась рассказывать ему то, что как будто бы услышала, находясь в коридоре вагона, напротив купе, в котором ехали разговорчивые кладоискатели. Признаться ему в том, что она перепутала двери и почти целый час находилась в купе с неизвестными мужиками, она, конечно, не осмелилась.

— Представляешь, клад! Царский! Они вышли из купе в тамбур, я схватила карту и вернулась сюда!

— Ну, ладно, хорошо, клад так клад. Найду — поделюсь с тобой. — Он был сонный, спрятал карту в карман и снова закрыл глаза. — Зайка, я еще немного посплю, и позже мы поговорим об этом.

Но все сложилось совсем не так, как она могла себе представить. Виталий проснулся не сам, и даже не она его разбудила, не стук колес, не подселение новых ночных пассажиров, как это случилось в соседнем купе.

Поезд остановился на незнакомой Наде станции, дверь купе по периметру осветилась ярким контуром — включили свет снаружи, в коридоре вагона. Послышался топот бегущих ног, щелкнул замок в запертой двери (проводница расстаралась), дверь распахнулась, вспыхнул яркий белый свет неоновых ламп на потолке, и в купе ворвались люди в форме, скрутили Виталия, Надю, надели на них наручники и выволокли на улицу, на белый и скрипучий от снега перрон...

Следственный изолятор, допросы, запах несвободы, большой беды и огромные испуганные глаза бабы Леры...

Больше она Виталия не видела. Никогда. Зато узнала о нем многое: бандит, убийца, черный человек. И срок ему дали — двадцать лет строгого режима.

Надю же спустя месяц стараниями следователя, поверившего (не без участия, как она поняла, не в меру активного и неравнодушного к ней стажера Бориса Гладышева) в ее невиновность и непричастность к совершенным Виталием преступлениям, отпустили.

Она окончила школу, вышла замуж за своего спасителя, и у нее началась совершенно новая, взрослая женская жизнь.

...И вдруг теперь эта сумка с деньгами и старинными украшениями.

Меншиковский клад? Вполне возможно! Тем более что значительно позже, когда в ее жизни появился Интернет, она сумела почитать о таинственных кладах Александра Меншикова. В ящике ее письменного стола до сих пор хранились статьи о Меншикове.

«Известно, что фаворит Петра I Александр Данилович Меншиков пользовался безграничным доверием царя. Император не раз называл его своей правой рукой, но обязательно добавлял: «Рука верная, но вороватая». Действительно, тот был не прочь при случае погреть руки за счет государственной казны. Однако основная часть его богатств была заработана, а вернее, заслужена честным путем».

Есть прямое упоминание и о масштабах его богатства.

«За свои заслуги перед императором Меншиков был пожалован золотой посудой весом несколько пудов, золотой и серебряной монетой на несколько миллионов рублей, царь не раз дарил ему драгоценное оружие, антиквариат, предметы роскоши и многое другое, включая мануфактуры и заводы, поместья и целые города. После основания Петербурга А.Д. Меншиков становится его первым губернатором. При этом царь дарит ему весь Васильевский остров, а

также мызу Ораниенбаум. Здесь Меншиков строит себе роскошные дворцы.

Петр Великий щедро награждал Меншикова и за его военные заслуги. Так, за победу при Калише над шведами царь подарил ему украшенную алмазами трость, а курфюрст Саксонии пожаловал Александру Даниловичу два города — Оршу на Литве и Полонну на Волыни. За успешный штурм Батурина Петр наградил Меншикова селом Ивановским (бывшим владением Мазепы). Накануне Полтавской битвы у фаворита родился сын, крестным отцом которого стал сам Петр. Он назвал крестника Лукой и подарил ему целый уезд с доброй сотней сел. За победу под Полтавой Меншиков получил в свое владение города Почел и Ямполь. Помимо этого, он прибрал к своим рукам значительные военные трофеи, а также совершал махинации при поставках хлеба и сукна для армии и пеньки для флота».

И о конфискации:

«Но вот настал роковой для него 1727 год. Светлейший князь был арестован и сослан на поселение в сибирский городок Березов. В начале 1728 года началось составление описи драгоценностей опального Меншикова. Из многочисленных сундуков, ларцов и футляров извлекались усыпанные бриллиантами, жемчугами, изумрудами шпаги, трости, запонки, пряжки, перстни, иконы. В описи было 425 пунктов, на самом деле конфискованных предметов было больше, так как под одним номером, например, записывали: «15 булавок, с бриллиантами» или же «2 коробки золота», «95 драгоценных камней». Была конфискована и трость, подаренная Петром, и алмазная

шпага — подарок польского короля, и датский орден Слона с шестью крупными бриллиантами...»

В статье Михаила Пазина, которую Надя перечитывала иногда, вспоминая Виталия, была лишь скудная информация о кладах Меншикова, что наводило на мысль, что никто так и не нашел эти клады, а те двое из поезда, обладатели карты, знали о них куда больше...

«Однако найденное было лишь незначительной частью сокровищ Александра Даниловича. Современники оценивали его ежегодный доход в 150 тысяч рублей только из одних имений. Князь владел самым большим рубином в Европе. Саксонский посланник в России докладывал своему королю, что в ходе расследования злоупотреблений Меншикова оказались ненайденными на 20 миллионов рублей драгоценности, на 250 тысяч рублей золотой и серебряной посуды, золотой монеты на 8 миллионов рублей, а серебряной — аж на 30 миллионов рублей!

Равнодушие, с которым Меншиков наблюдал за конфискацией своего имущества, указывало на то, что большую часть своих сокровищ он вовремя спрятал, надеясь вернуться из ссылки. Однако самые тщательные розыски в 1730-е годы не дали никакого результата.

Где же могут находиться до сей поры сокровища Меншикова? Определенно можно говорить лишь о трех местах — подземелье его дворца на Васильевском острове, подземных камерах под дворцом в Кронштадте и в Ораниенбауме. Будучи губернатором Петербурга и руководя прокладкой различных подземных коммуникаций, Меншиков отлично знал, где можно надежно укрыть свои клады».

Безусловно, ночные попутчики знали больше. Ведь они говорили о дворцовом бассейне, и именно он был обведен красным на карте. И именно от него в сторону шел пунктир к красному крестику, начертанному поверх микроскопической фигурки, похожей на статую Венеры.

Один раз только Наде удалось прочесть что-то о бассейне во дворце Меншикова на Васильевском острове, бассейне, под которым, по словам незадачливых кладоискателей, и был зарыт клад. И те обрывки их фраз, разлетевшиеся в темени купе: *«...Васильевский остров, Меншиков, броши, кольца, сокровища, жемчуг, сабля, усыпанная бриллиантами, — подарок Петра Первого, деревянный дворец, прорыли канал, бассейн, вельможи, по пояс в воде, балы, Посольский дворец, миллионы долларов, ссылка, Меншиков, Петр, снова Меншиков, Малая Невка, план, рисунок, смотри, будем сказочно богаты...»* — полностью совпадали с историческими фактами, связанными со строительством этого дворца:

«Дворец Меншикова находится на Васильевском острове, который Петр I подарил своему приближенному Александру Даниловичу Меншикову. По указанию Петра I усадьба Александра Даниловича, который в 1703 году стал первым генерал-губернатором Санкт-Петербурга, была построена именно здесь.

В 1710 году на самом берегу Невы (на Университетской набережной) приступили к строительству сразу двух зданий — деревянного и каменного. Каменный дом построить быстро не представлялось возможным, потому и был построен деревянный дом, названный Посольским дворцом. Он был возведен в глубине участка всего за один летний сезон под руководством комиссара от строений У.А. Сенявина. Двухэтажное здание имело форму буквы П, с высоким крыльцом, ведущим на второй этаж. *Парадным подъездом к нему служил прокопанный от Невы канал с бассейном перед входом. Здесь 11 июля 1710 года Меншиков принимал гостей, которые в течение двух часов в платьях сидели в воде и пили за здоровье хозяина. В Посольском дворце устраивали официальные приемы и торжества. 31 октября здесь состоялась свадьба племянницы Петра I Анны Иоанновны и герцога Курляндского. За дворцом был разбит сад, устроен огород, вплоть до Малой Невки. В усадебном саду также устраивались ассамблеи. Устройством сада занимался личный садовник князя голландец Ян Эйк. По его плану здесь была проложена сетка дорожек, устроены фигурные боскеты и пруды, скульптурные композиции, лабиринты. В 1711 году в саду прорыли канал с круглым прудом у дворцового крыльца...»*

Виталий! Прошло столько лет! Где он мог сейчас быть? Мог умереть в тюрьме или продолжать там находиться. Но мог быть и выпущен досрочно на свободу! Интересоваться его судьбой Надя опасалась, боялась, что об этом узнает Борис.

Если Виталий сейчас на свободе, то, возможно, именно он и нашел этот клад. Тот факт, что Надя успела еще до их задержания в барнаульском поезде вытащить у него, сонного, карту из кармана и спрятать у себя под рубашкой, еще ни о чем не говорил... Она просто боялась, что карта помнется.

Главное-то она объяснила ему на словах! Да и карта простая, элементарная — несколько пунктирных линий да крестик...

Неужели Виталий?

Если это смелое предположение верное (а как тут не верить, если в сумке целое состояние!!!) и он стал баснословно богат, ну просто немыслимо, фантастически богат, то что ему стоило разыскать ее, свою «зайку», чтобы поделиться с ней? «*...клад так клад. Найду — поделюсь с тобой!*»

Однако не такой он человек, чтобы, отдав деньги Наде, не появиться самому перед ней во всем своем блеске!

«Жить вообще надо красиво, Наденька».

Уж если он тогда, когда у него практически ничего не было, пытался продемонстрировать перед ней, какая она, красивая жизнь, в его представлении, и обставил их свидание в чужом доме, где они были на птичьих правах и где все было куплено на свороованные у порезанного им бизнесмена Валерия Кротова деньги, то можно себе представить, как он может развернуться, имея на руках миллионы евро!

Надя зажмурилась и представила себе белый лимузин возле ее подъезда, Виталия в белом костюме, цветы, шампанское, подарки, бриллианты... Одно его появление в ее жизни на фоне скромно зарабатывающего Бориса может перевернуть всю ее жизнь.

И вот чтобы этого не произошло, чтобы он не нашел ее, чтобы они не встретились и у Виталия не было возможности разрушить ее брак, она и решила исчезнуть. На время. Придумала первое, что пришло в голову: смерть и похороны тети, которой у нее никогда не было. Она должна сама найти Виталия и вернуть ему деньги. И объяснить, что она любит своего мужа и что ей от Виталия ничего не нужно. И сделать это, поговорить с ним надо как можно дальше от ее дома. От Бориса.

Она все решила в считаные минуты. Зная властный и непредсказуемый характер Виталия, сейчас наверняка подпорченный богатством, и предполагая, что его визит просто неминуем, она быстро собрала детей и отвезла их свекрови.

Одного она только не могла понять: почему сумку с деньгами и драгоценностями он принес не сам лично, а поручил это сделать какому-то своему доверенному лицу. Возможно, из его уголовного прошлого. Иначе как объяснить эту жуткую физиономию зэка!

Может, хотел сначала удивить, привлечь ее внимание к себе, привязать ее, в конце концов, этими деньгами, чтобы потом спокойно войти в ее жизнь, вернее, въехать на этом приторном белом лимузине.

Эта пошловатая лубочная картинка — Виталий во всем белом на белом лимузине — прочно заняла место в одном из уголков ее находящегося в паническом страхе сознания. Борис никогда не простит ей этой встречи, несмотря на то что инициирована она будет Виталием. Борис, страшный ревнивец и собственник, даже разбираться не будет, увидит ее рядом с Виталием — и все, пиши пропало. Решит, что она сама повод ему дала, позволила ему приехать. А уж как он будет страдать! Сразу детей заберет! К тому же и Виталий-то не будет молчать или бездействовать, он нарочно станет демонстрировать перед ним свою любовь к ней, чтобы позлить Бориса. Бандит и следователь прокуратуры, непримиримые враги, к тому же соперники. Можно даже предположить, что для Виталия процесс разрушения благополучного семейства будет, быть может, послаще всякой роскоши, эдакий элемент редкого и изощренного удовольствия, чистое развлекалово.

Наде же нужен только Борис.

А тут — сумка... Уж лучше бы там была настоящая бомба! Деньги, огромные деньги — тоже бомба. Но только замедленного действия, а от этого еще более страшная.

Вот просто взять и избавиться от них, выбросить сумку — чистое безумие. Как она потом докажет при встрече с Виталием, которая неизбежна при данных обстоятельствах, что эти деньги не у нее, что она их не приняла?

Прав был Борис, нельзя было не то что открывать этому зэку, но даже вступать с ним в разговор. Она сама все испортила, потеряла бдительность, подумала, что посылка от бабы Леры.

И вот теперь она у Кати. У потерявшейся в лабиринтах своих чувств и событий маленькой женщины, перед которой еще недавно стоял страшный выбор: жить или не жить.

Хотя, кто знает, быть может, в этой жизни действительно нет ничего случайного, и появление в ее доме Нади спасет ее от рокового шага — от самоубийства?

Надя домыла полы, привела в порядок комнату и кухню, сменила постельное белье, запустила стиральную машину, вымылась сама и свежая, в чистой комнате села возле окна — поджидать Катю.

4. Борис. Саратов, 2014 г.

— Боря, ну, наконец-то! Я тут уже с ума схожу! Проходи, у меня как раз ужин готов!

Мама, Евгения Спиридоновна, почти за руку втащила сына в квартиру. Обняла его, словно желая убедиться в том, что это действительно он — настолько она за него переживала. Будь ее воля, она посадила бы его рядом с собой и держала за руку, не отпуская.

— Мама, как дети? Здоровы?

Борис разулся и прошел в квартиру, нашел детей в большой гостиной, мальчики сидели на ковре и смотрели телевизор. Увидев отца, они бросились к нему, обнимали его за колени, хватали за пояс, жались к нему.

Евгения Спиридоновна, высокая суховатая женщина в домашних серых брюках и клетчатой рубашке мужского покроя, наблюдала за этой картиной, едва сдерживая слезы. Она никак не могла взять в толк, что могло произойти в благополучной и очень дружной семье сына, чтобы Надя сбежала, ушла. Куда? С кем? Зачем?

— Сынок, есть новости?

— Нет, мама. Она как в воду канула. И чувствую сердцем, что ее не похитили, что она жива и здорова, да только вот решила бросить всех нас...

— Пообещай, что не будешь думать плохо про Надю. Нехорошо это. Ладно, потом поговорим... Боренька, ты иди, помой руки, а я пока накрою на стол. Дети уже поели.

На ужин были говяжьи котлеты с пюре, соленые огурцы — любимая еда Бориса. Да только он ничего не чувствовал. Просто ел, думая о своем. Вспоминал слова соседки, сказанные о Наде.

Мама села напротив Бориса, подперла щеки ладонями. Взглядом пыталась его согреть, утешить. Но как? Где найти слова, чтобы успокоить его?

— Я все-таки думаю, ты только не обижайся на меня, что ее обманули, заставили уехать... И что связано это с твоей работой.

— Может, я скажу сейчас жестокую вещь, но ты должна ее знать: если бы ее исчезновение было как-то связано с моей работой, то есть если бы кто-то, кому я помог сесть за решетку, решил мне отомстить, то, поверь мне, мама, они не стали бы церемониться с моей женой и уж точно не оставили бы ей времени на то, чтобы она собрала детей и привезла тебе. Все было бы проще и страшнее. И вряд ли ты сейчас была со своими внуками.

Евгения Спиридоновна ахнула. Закрыла глаза, выдыхая воздух, а потом и вовсе схватилась за сердце.

— А ты как думала?

— Да если честно, я вообще старалась об этом не думать. И сказала это тебе только для того, чтобы ты не спешил делать выводы... Я же сколько лет знаю Надю! Она мне как дочь. Сынок, жизнь, она такая многообразная, сложная, и кто знает, что подтолкнуло ее сделать то, что она сделала? Я даже не могу подобрать слова для этого ее поступка. Ушла? Сбежала? А может, я чего-то не знаю о вас с ней? Вспомни, какая она была в последнее время? Может, она плакала? Ну не могло все это произойти на пустом месте. Я никогда в жизни не поверю, что она сбежала с мужчиной. И даже если я (не дай бог, конечно) вот прямо сейчас, выйдя на улицу, увижу ее в компании с мужчиной, все равно не поверю, что это ее любовник. Друг, родственник, отец, дядя, кто-то из твоего окружения, обманом похитивший ее, или вообще маньяк. Ты не представляешь себе, как много я об этом думала!

— Я тоже думал. Но ничего не придумал. Телефон ее молчит, думаю, она либо уничтожила сим-карту, либо это сделал тот, с кем она сейчас. Мам, но ты подумай сама хорошенько. Если у нее было время собрать детей и привезти к тебе, то разве у нее не было возможности позвонить мне или намекнуть тебе, что с ней случилось и куда она отправляется? Я понимаю еще, что ее могли бы заставить молчать, если бы дети были с ней, то есть припугнули бы здоровьем детей. Но она сама привезла их в самое безопасное место — к тебе!

— Но тогда что? Что с ней могло случиться? Как вы жили с ней последнее время? Послушай, Боря, а может, ей просто надоело целыми днями находиться дома? Ведь ты, сам того не осознавая, практически посадил ее на цепь! Куда бы она ни отправлялась, она должна была отзваниваться тебе. И если ты объяснял это своим желанием обезопасить семью, то Надя, молодая женщина, могла расценивать это совершенно иначе, что ты простонапросто ревновал ее, а потому хотел, чтобы она всегда была под твоим контролем.

— Глупости. Мы доверяли друг другу. И вообще... Не знаю, может ли это быть связано с ее исчезновением, но накануне в нашу квартиру звонил какой-то мужчина, соседка видела...

И Борис пересказал матери то, что рассказала ему соседка.

— Валентина Семеновна? Так я поеду к ней и сама ее обо всем хорошенько расспрошу, может, она вспомнит какие-то мелочи, детали...

— А какие могут быть детали, если она и так мне все рассказала? Даже сумку описала. И внешность этого человека.

— Так составьте фоторобот!

— Да я и сам об этом думал, тем более что больше никаких зацепок нет...

Зазвонил телефон, Борис напрягся.

— Слушаю!

Евгения Спиридоновна не спускала взгляда с сына, пытаясь по выражению лица определить, насколько все плохо. Она хоть и старалась изо всех сил как-то успокоить Бориса, но сама уже давно предположила самое худшее...

— В Москву? И что? Она выехала в четыре часа? Так почему же я узнаю об этом только сейчас?!

Что?.. Ясно. Да, я все понял. Хорошо, Богоявленск или Раненбург... Это правильно. Там пусть и снимут ее с поезда. Господи, наконец-то появилась хоть какая-то информация... Да-да, говорю же: я все понял, может быть, это даже правильно, что ничего не сообщали начальнику поезда, информация могла бы навредить делу, и Надя могла бы сойти на любой станции... Хорошо, я жду.

Он отключил телефон.

— Боря, что случилось?

— Она купила билет до Москвы, в полночь поезд будет в Богоявленске, потом в Раненбурге. Вот там ее и снимут...

— Послушай, может, я, конечно, скажу сейчас полную глупость... Но Надя... она же прекрасно понимает, кто ты и какие у тебя возможности. Стала бы она, находясь в здравом уме и, что называется, твердой памяти, покупать билет на свое имя, чтобы отправиться в Москву?! Она же не могла не понимать, что мы будем искать ее, что ты поднимешь на уши всю полицию и прокуратуру, все свои связи, и первое, что делается в этом случае, я это знаю, конечно, по фильмам, так это проверяются списки пассажиров на всем транспорте... Боря. Ты слышишь меня? — Евгения Спиридоновна помахала ладонью перед глазами сына, уставившегося в одну точку в глубокой задумчивости. — Боря!

— Да слышу я все, мама...

— И знаешь, что я тебе на это скажу? Вариантов два: первый — кто-то другой купил билет по ее паспорту; второй — она была не в себе, когда делала это. Мне больно об этом говорить, но, занимаясь поисками мотива ее поступка, мы упустили самый вероятный и невероятный одновременно — она заболела. У нее что-то с головой... И в этом случае, ты уж прости меня, лучше было бы, если бы у нее было сто любовников, чем безумие.

— Мама, прекрати наводить тоску!!! Надя — вполне адекватный, здравомыслящий человек, и я ни разу не замечал в ней ничего такого, что навело бы меня на мысль о ее душевной болезни!

— Да? А ты вспомни, какой она была, когда выходила замуж за тебя? Веселая хохотушка, не девушка, а праздник! Такой она родилась, такой досталась тебе! И что ты с ней сделал?

— А что я с ней сделал?!

— Ты превратил ее в свою рабыню, затворницу! Я лично вообще не помню, когда видела ее улыбающейся. Она не выглядела счастливой женщиной. Уж не знаю почему, но она производила впечатление человека с угнетенной психикой, если можно так выразиться. Да-да, хочешь услышать правду — пожалуйста! Она была именно угнетена! Возможно, тем образом жизни, который ты ей навязал. У нее не было подруг, она ни с кем, помимо тебя и меня, не встречалась. У нее не было нормальной работы, не было социума, понимаешь? Ты превратил ее в домашнее животное! Возможно, накануне она встретилась с какой-нибудь из своих подруг детства, нормальной женщиной, которая, с трудом узнав в Наде Гладышевой Наденьку Юфину, ту самую жизнерадостную рыжую девчонку с веселыми глазами, была шокирована! Между ними мог произойти разговор, и эта самая подружка могла просто открыть ей глаза на жизнь, на новую жизнь, понимаешь? Быть может, она рассказала ей о своей жизни, о своем браке и, главное, о той свободе, которой ты, Боря, напрочь лишил свою жену.

Второй раз за день Борис слышал странные вещи о своей семье. Два взгляда со стороны: Валентина Семеновна и вот теперь мама. Что же это получается, он в глазах других людей выглядел настоящим тираном, ревнивцем?

— Может, ты не поверишь мне, — проговорил он, сдерживаясь, поскольку его начало трясти от злости и раздражения, — но у нас с Надей было все хорошо. Мы были счастливы!

— Да о каком счастье ты говоришь, если тебя постоянно не было дома? Ты не представляешь, сколько сериалов я посмотрела, где главным героем был либо полицейский, либо оперативник, либо следователь прокуратуры... Не перебивай меня, я знаю, что ты хочешь мне сказать, что, мол, сериалы — все это глупости, чепуха! Но то, что семьи, где мужчин не бывает подолгу дома, разваливаются, где жены страдают и подают на развод, — разве это не правда? Это тоже чепуха? Вспомни своих друзей, коллег по работе? Что, все женаты и счастливы?

Она была права. Практически все его коллеги развелись. Семьи сохранились лишь там, где главой был какой-нибудь начальник из их системы, рабочий день которого был более-менее нормированным.

— Боря, если ты думаешь, что я сегодня занималась лишь детьми и готовкой, то ты ошибаешься...

Мама. Современная и очень активная, энергичная женщина. И больше всего на свете любящая своего единственного сына и его семью. Борис вдруг подумал, а что, если и ей он крайне редко выражает свою сыновью любовь? Может, и она тоже страдает от недостатка его внимания, душевного тепла? А когда он последний раз по-настоящему, реально заботился о ней? Вот возьмет и тоже исчезнет из его жизни? Возьмет внуков и переедет к своей подруге в Петербург? Во всяком случае, разговоры такие велись, когда ее подруга, Кира, овдовела и позвала ее к себе, в большую квартиру жить. «Вот перееду к Кире, а свою квартиру буду сдавать, — помнится, говорила в то время мама, раздумывая над предложением подруги. — Глядишь, и вам полегче будет. Все-таки — деньги».

Мама вернулась с раскрытым ноутбуком, который в последнее время стал ее верным другом, источником полезной информации и развлечения.

— Вот, смотри, здесь большая статья, но я зачитаю тебе только самое важное: «Семья сотрудника — это своеобразный «тыл», обеспечивающий его работу. Специфика и содержание работы, как правило, отрывает сотрудника от семьи. Если к этому прибавить неблагоприятные бытовые условия, деформацию моральных ценностей, влияние негативных психологических факторов служебной сферы и т.п. — в совокупности это может привести к повышенной конфликтности в семье, ее распаду».

Или вот: «По данным проведенного социологического исследования было выявлено, что 23% респондентов состоят в разводе. На утверждение «Причиной развода стала моя работа и несогласие супруги(га) мириться с моей профессией и ее издержками» 100% разведенных мужчин-сотрудников ответили «частично», в числе разведенных женщин-сотрудниц 50% разводов произошли только по причине несогласия и 50% — «частично». Таким образом, можно сделать вывод: большинство разводов в семьях произошло в основном по причине несогласия супругов мириться с профессией сотрудников».

Евгения Спиридоновна перевела дух и захлопнула ноутбук.

— Боря, двадцать три процента разводов — это колоссальная цифра. Это несчастные люди, одинокие, поглощенные своей работой...

— Мама, прошу тебя, успокойся.

Он даже встал, чтобы обнять ее.

— Не знаю, как убедить тебя в том, что у нас с Надей действительно все было нормально. Что мы были счастливы. И если ты не видела улыбок на ее лице, то это еще ни о чем не говорит... Мне-то она улыбалась, уж можешь мне поверить.

Давай подождем полуночи, вот доедет поезд до Богоявленска, и может, что-нибудь прояснится... К тому же мало ли существует родственников, о которых мы забываем или о которых вообще ничего не знаем? А вдруг окажется, что у Нади была тетя или какая-нибудь дальняя родственница, которую она назвала своей тетей. Давай уже подождем...

Успокаивая ее, он словно успокаивал себя. Вот бы его коллеги по работе, друзья увидели его, каким он может быть рядом с мамой, как раскиснуть и превратиться в слабого, нуждающегося в материнской ласке, маленького мальчика. Быть может, все мужчины такие, да кто же признается?

— Хорошо. Я сейчас пойду, займусь своими внуками, их же надо искупать и уложить спать, а ты пока посиди и подумай о том, что я тебе сейчас сказала, какие цифры привела.

Она тяжело вздохнула, поцеловала Бориса и вышла из кухни.

Борис открыл холодильник, достал бутылку водки и налил себе полстакана. Затем, опомнившись, что ему сегодня, возможно, предстоит сесть за руль, кто знает, может, Надю снимут с поезда в Богоявленске, и тогда он поедет туда, за ней, вылил водку обратно в бутылку, мимо горлышка, расплескав ее, все вокруг намочив.

Вытер руки полотенцем и снова позвонил Лере, в Сенную, уверенный в том, что она не спит.

— Да, Боря. Слушаю тебя, — услышал он тревожный голос.

— Лера, скажите, может, вы все-таки что-нибудь знаете? У вас в Москве родственников нет?

— Как будто бы нет... А что случилось? Надя в Москве?

— Во всяком случае, она взяла билет до Москвы... — Он объяснил ей ситуацию.

— Как-то все очень уж странно... Не знаю, Боренька, что тебе и сказать.

— А может, у нее там, в Москве... Как бы это сказать... старый знакомый?

— Какой еще знакомый? — возмутилась Лера. — Кого ты имеешь в виду?

— Бузыгина, кого же еще! — вскричал Борис. — Ведь он в прошлом году вышел! Уж можете мне поверить! Условно-досрочное освобождение!

— Ну, не знаю... Да я о нем вообще ничего не знаю! Если бы он был хотя бы из местных, то я была бы в курсе, уж наши-то бабы молчать бы не стали. Но он чужой был, вообще неизвестно откуда. Но если ты говоришь, что он вышел в прошлом году... Ох, хотелось бы мне тебя успокоить, но ты сам напомнил мне эту историю...

— Что вы этим хотите сказать?

— А то и хочу, что сама теперь спать не буду... И откуда он только взялся, этот Бузыгин?! Бандит, уголовник, преступник... Господи, ну не могу поверить, чтобы Надя к нему вернулась... Это тогда, она же совсем девчонкой была, он ей голову вскружил, но сейчас-то у нее муж, дети... Нет, не могу поверить, что она сбежала с ним!

Вот! Вот наконец и озвучили то, что Борис больше всего боялся услышать. Прямым текстом. «Сбежала с ним». Сбежала с мужчиной.

Как тогда, одиннадцать лет назад. Влюбилась, потеряла голову и сбежала. А ведь все тогда на станции Сенная, кого он опрашивал в связи с этим делом и кто был знаком с Наденькой Юфиной, в один голос утверждали, что не могла она, такая серьезная и ответственная девочка, так поступить, не могла связаться с бандитом и сесть вместе с ним добровольно в поезд. Что он ее заставил, принудил, возможно даже — под дулом пистолета. Однако никто из этих свидетелей не видел следы пиршества на вскрытой Бузыгиным даче. Не следы погрома, а именно следы пребывания там любовников. А вот Борис видел, собственными глазами. Цветы, свечи, деликатесы, фрукты... Понятное дело, что, когда туда нагрянула полиция, это были уже не цветы, а засохшие веники, стоящие в воняющей тиной воде, не свечи, а оплывшие свечные огарки, не деликатесы, а изъеденные мышами и крысами остатки продуктов. Но Наденька там была с Бузыгиным не как пленница, нет. Хотя Борис, впервые увидевший ее на допросе и потерявший от нее голову, целый месяц поил следователя Кондратьева, который вел это дело, водкой и коньяком, чтобы только тот помог оправдать Надю Юфину и представить дело таким образом, будто бы она действовала по принуждению. И что хотела бы сообщить в полицию о совершенном на ее глазах убийстве продавщицы ларька, да просто не имела возможности.

Евгения Спиридоновна, высылавшая Борису деньги в Сенную, никак не могла взять в толк, что же это произошло у него такого опасного, что он натворил, что теперь вот приходится поить начальство. Но неукоснительно удовлетворяла все его телефонные просьбы, зная, что деньги идут на спасение, на что-то очень нужное и важное, о чем сын говорил как-то туманно, невнятно, словно ему было стыдно.

И так получилось, что, убеждая Кондратьева в полной невиновности и непричастности Нади ко всем преступлениям Бузыгина, Борис и сам в это поверил. Как поверил и в то, что Надя была в этой истории исключительно жертвой. А что, если нет?

Сказать, что Борис следил все эти годы за Бузыгиным, было бы неправильно. Он отметил где-то глубоко в подсознании, что на свободе тот окажется не скоро, а потому жил себе с Надей спокойно, счастливо, редко когда его вспоминая. Да и воспоминания эти были связаны не с похожим, скажем, уголовным делом или станцией Сенной, или с увиденным случайно в толпе знакомым лицом, а с Надей. Надей, которую он не знал. Надей, которую он мог застать, не знавшую, что за ней наблюдают, сидящей за туалетным столиком и рассматривающей себя в зеркало каким-то особым, незнакомым ему взглядом. Приподняв свои тяжелые рыжие кудри, Наденька, в одной сорочке, а то и вовсе обнаженная, крутила головкой так и эдак, встряхивала золотой гривой, как застоявшаяся в стойле кобылица. Вставала в полный рост, поглаживая себя по груди, рисуя пальчиком круги вокруг сосков, и Борис видел, прижав глаз к дверной щели, раскованную и даже распущенную молодую женщину, которая, быть может, только в такие вот минуты и становилась самой собой, а остальное время играла роль скромной, тихой, помешанной на чистоте домохозяйки.

Однако он не мог не понимать, что людям свойственно меняться, и семейная жизнь, вероятно, меняет любую девушку, какой бы она ни была.

Примеров тому было множество, достаточно было оглянуться и увидеть жен своих друзей, которых Борис знал совсем юными девушками и которые сейчас превратились в жен, матерей. Некоторые из них превратились из раскованных, уверенных в себе девушек в тихих, забитых и словно потерявших вкус к жизни женщин, а другие, наоборот, из тихих и скромных девушек выросли в настоящих стервозных дьяволиц.

Иногда женщины представлялись ему манекенами с безмозглыми головами с надетыми поверх бесчувственных тел многослойными одеждами. Но эти мысли никогда не касались его жены.

Так какой она была — его Наденька?

Звонок заставил его вздрогнуть. Он схватил телефон. Слушал и чувствовал, как внутри все холодеет.

Не было такой пассажирки на московском поезде. Купила билет, но не села. Ни на одной из станций. И проводница взяла на ее место другого пассажира.

Борис снова открыл бутылку водки и налил себе в стакан. Выпил залпом, закусил соленым огурцом.

Он едва успел вытереть со щеки выкатившуюся слезу, как в кухню вошла мама.

— И мне налей, — сказала она, тяжело вздохнув, усаживаясь напротив него. — Насколько я могу судить по выражению твоего лица, ее не было в этом поезде? Что ж, это тоже результат. И что будешь теперь делать? Помнишь, ты рассказывал о том парне, с которым она сбежала в молодости? Какой-то там бандит, убийца... Ну, они еще убили продавщицу из магазина или ларька... Она не могла встретить его? Быть может, он уже вышел из тюрьмы?

5. Надя. Саратов, 2014 г.

— Тебе может показаться это глупым, просто абсурдным, особенно учитывая положение дел, но я предлагаю тебе, Катя, немного развлечься...

Катя, и без того потрясенная тем, как это Наде удалось за столь короткое время привести в порядок квартиру, стояла посреди вычищенной кухни, не в силах выразить свое удивление и восхищение. Надя приняла из ее рук тяжелые пакеты с покупками и принялась разбирать.

— Когда вернется твой бывший муж?

— Вечером, но точно я сказать не могу. Они могут после работы пойти в кино, а могут прийти в семь часов. Или в шесть. Или в восемь. Когда как.

— Скажи, а он не понимает, что причиняет тебе боль, приводя сюда другую женщину, которая моется в твоей ванне, жарит картошку в твоей сковородке, оккупировала половину квартиры, да попросту дразнит тебя. И эта музыка, и этот смех... Поверь мне, даже охваченные страстью и новизной отношений пары, вот как твой муж и его подруга, к примеру, не могут в течение долгого времени находиться в таком вот возбужденном состоянии, на пике эмоций, когда организму просто необходима громкая музыка, когда люди смеются беспричинно, просто от радости жизни... Время от времени им захочется покоя, тишины. Ты слышала когда-нибудь тишину в их комнате?

— Я понимаю тебя... Нет, не слышала. Когда они возвращаются, квартира просто заполняется какофонией звуков, словно кто-то нарочно увеличивает громкость, как в плейере или телевизоре, просто повернув ручку. Даже когда она ставит сковородку на плиту, раздается неимоверный грохот. Хотя, Надя, возможно, это мне так кажется, может, у меня просто нервы оголены, понимаешь? И обыкновенные звуки кажутся мне громом небесным?!

— А я думаю, что она делает это нарочно. А он — не возражает. Они попросту хотят выдавить тебя из квартиры. Или довести до самоубийства. И вообще, что за человек этот твой Саша?

— Как выяснилось, он женился на мне не по любви, а из-за квартиры, да и возраст, пора было уже... Он живет по указке своей матери. Я работала вместе с ней и понравилась ей. Вроде деревенская, скромная, работящая. Вот она нас и поженила.

— Здесь-то как раз все ясно. А вот что ты сказала о квартире? Чья это квартира?

— Понимаешь, когда мы с ним познакомились, у меня была однокомнатная квартира. Потом мне удалось продать бабушкин дом в Сенной, может, знаешь, в самом конце улицы, возле колодца... Я продала свою однокомнатную, добавила денег и купила вот эту двухкомнатную. И сделала все это до заключения брака, я же понимала, что к чему, что если квартира будет куплена до брака, значит, она будет полностью моя и при разводе не будет делиться. И я подсуетилась, что называется. Все успела. Да только Саша, который помогал мне с оформлением документов, подкупил, как тоже потом выяснилось, нашего риелтора, и хотя фактически сделка прошла за три дня до регистрации брака, в регистрационной палате она проведена как раз на три дня позже регистрации брака. Вот такой вот хитрый, я бы даже сказала — подлый ход.

— Да... не слабо он тебя кинул. И теперь получается, что эта квартира куплена как бы в браке? И поэтому он чувствует себя так свободно?

— Ну да.

— И ты еще решила ему помочь устроить свою жизнь, вскрыв себе вены?

— Получается, что так.

— Вы официально в разводе?

— Да, и квартира сейчас поделена на две части. Если бы у меня были деньги, я бы выплатила ему стоимость его половины, и он бы сразу оставил меня в покое. И эти деньги у меня будут, да только мне нужно время.

— Не поняла...

— У меня в другом селе есть еще один дом, достался мне по наследству от одной дальней родственницы. И место там хорошее. Рядом — дачный кооператив, кусок земли большой, я уверена, что мне удалось бы продать его за хорошую цену. Но я до весны не доживу, и у меня нет сил заниматься этим вопросом, нанимать риелтора, платить ему... Я и физически тоже чувствую себя неважно.

— Еще бы! Перенести такой стресс! Порезать себе вены. Я уверена, что ты ничего и не ела несколько дней... Я же видела остатки еды на тарелках, видела и твою полочку в холодильнике, во всяком случае, я так решила, что она твоя, поскольку на ней была одна баночка консервированной скумбрии и тарелка с засохшим кексом, а на других полках — колбаса, ветчина, сыр, виноград, апельсины и все такое... И в сковороде у них котлеты, картошка... Словом, живут люди. Питаются, ни в чем себе не отказывают. А ты чего раскисла?

Катя расплакалась. Надя обняла ее, прижала к себе, словно согревая.

— Я помогу тебе. Мы наладим твою жизнь. Для начала я пойду сейчас в кухню и приготовлю нам ужин. Но сначала давай выпьем чайку с бутербродами. Я вижу, ты купила колбаску...

Перекусив, Надя отправила Катю в комнату, уложила ее на диване, укрыла пледом, включила телевизор.

— Ты лежи здесь и постарайся ни о чем не думать. Я буду в кухне, готовить. Когда придут твои соседи, я представлюсь твоей сестрой и постараюсь отвоевать пространство и право на спокойную жизнь, поняла?

Катя молча кивнула.

Надя вернулась в кухню, достала мясо из пакета и принялась готовить отбивные. Пока варились овощи для салата «Оливье», она распарила чернослив, набила его орехами и полила взбитыми сливками с сахарной пудрой. Вынув из кислых яблок сердцевину и нафаршировав их орехами с медом, она поставила их запекаться в духовку. Вскоре кухня наполнилась ароматными запахами еды.

Она не сразу поняла, что в кухне не одна. В дверях совершенно бесшумно возникла высокая крепкая девица в красном, отороченном норкой, пальто и в пунцовом берете, украшенном сбоку стразами. Румяная, лицо обрамлено черными локонами, очень красивая девушка. Брови ее взлетели, да так и замерли в удивленном изломе.

— Не поняла... — сказала она, и рот ее пикантно, по привычке, искривился, показывая ряд белоснежных зубов. — Кто такие?

— Это я должна вас спросить, кто вы такая? — Надя, подойдя к ней вплотную и дыша ее сладкими духами, посмотрела ей прямо в глаза. — Приезжаю к сестре, и что я вижу? Она, совершенно больная, голодная, лежит на кровати без признаков жизни! Квартира превращена в бомжатник! Повсюду грязь! Спрашиваю Катю, она говорит, что развелась с Сашей и что он привел в дом какую-то женщину. Это вы, надо полагать?

— А вам-то что за дело?

— Вы, дамочка, слабоумная, что ли? Говорю же: я ее сестра, Надя! А сегодня вечером приедут ее братья — Артем и Денис, и будут во всем разбираться! И в том, кто купил квартиру и за какие деньги, а я сразу скажу, что эту квартиру покупала Катя, а деньги собирали на эту «двушку» всей семьей... И уж не для того, чтобы в ней поселился Саша с любовницей...

— Вообще-то мы собираемся пожениться.

— Да это вообще не мое дело.

— Саша!!! — Девушка развернулась на каблуках и застучала ими по коридору в направлении комнаты, где, предположительно, обитал ее Саша.

Надя, пока ее не было в кухне, сняла со сковороды отбивные, разложила на блюде и занялась салатом, полила его майонезом и перемешала. Когда пробовала, услышала шаги у себя за спиной.

— Вы кто?

Она резко развернулась и увидела молодого мужчину, красивого брюнета с зелеными глазами. Он нахмурился и смотрел на нее подозрительным взглядом.

— Ты — Саша?

— Ну да, я, и что?

— А то, что ты ответишь за все, что здесь произошло за последние месяцы... За то, что чуть не отправил на тот свет свою жену, за махинацию с регистрацией квартиры, за покушение на убийство...

— Чего?!! Какое еще убийство?

— Обыкновенное! Ты же со своей бабой убивал ее каждый день. Разве я не права? Мало того что бросил ее, предал, так еще и довел практически до самоубийства!!! Ты видел хотя бы, что она ест? И ест ли вообще? Разве ты не знал, что она бросила работу, что у нее нет денег, что она находится на краю пропасти... Она погибала, а вы здесь слушали музыку и веселились, смеялись над ее горем! Даже если бы она умерла, вы узнали бы об этом лишь по запаху... И ты думаешь, что наша семья оставит все это вот так, безнаказанным? Я знаю свою сестру, она такая, ни за что не позвонит и не пожалуется, и я не знаю, чем бы вся эта история закончилась, если бы я не приехала сюда, к ней!

— Да какого черта вы мне здесь устраиваете допрос? И чего вы вообще кричите на меня? Мы — в разводе. Официальном разводе. И одна часть квартиры уже оформлена на меня. У меня и документ есть!

— Понятное дело... Подсуетился. Или твоя мамочка расстаралась? И что теперь? Так и будешь здесь жить? Других вариантов нет?

— Почему же, есть. Пусть съезжает, я дам ей триста тысяч, и катится в свою Сенную.

— Почему триста тысяч? Квартира, я думаю, стоит под два миллиона.

— А вы не думайте. Это всего лишь мое предложение, а уж соглашаться с ним или нет — это ее дело. Но я, повторяю, готов выкупить ее половину за триста.

— Хорошо. Значит, вы можете гарантировать, что, если она даст вам триста тысяч, вы съедете отсюда?

— Миллион.

— Ты что, сволочь, берега попутал? Квартира стоит под два миллиона, однако ты готов заплатить ей всего лишь триста тысяч за половину, в то время как за свою половину требуешь с нее миллион?!

— Да у меня просто больше денег нет. А у нее дом в Каменке, вот пусть продает, и тогда решим вопрос.

— Хорошо. Сделаем так. Через три дня, раньше просто нереально, в десять утра буду здесь, я привезу нотариуса, мы подпишем документы, по которым квартира вернется к Кате, а ты получишь свой миллион и свалишь отсюда.

— Что, серьезно?

— Может, конечно, не миллион, а меньше, мы же сейчас так, навскидку, оценили квартиру, да и я не знаю, сколько мы сумеем собрать, занять под ее деревенский дом, но в любом случае это будут реальные, живые деньги. И после этого ты съедешь отсюда.

— Да без проблем!

— Вот и договорились. А сейчас дай мне пройти, — Надя взяла в руки блюдо с отбивными и пронесла их прямо перед носом мужчины. Притормозила, посмотрела ему прямо в глаза: — Когда-нибудь, тварь, ты за все ответишь. И не советую сегодня твоей девушке выходить в кухню, да и тебе тоже... Могу раскаленным маслом нечаянно обжечь или уксусной кислотой ей в лицо попасть... Да и вообще вам здесь больше делать нечего, собирайтесь потихоньку, вещички складывайте. И на будущее — если не в состоянии помыть за собой посуду или вычистить унитаз, то нанимайте домработницу или пусть ваша мама убирает за вами.

Она открыла дверь и скрылась за ней.

— Дуры! — услышала она за своей спиной. — Две дуры! Миллион они мне дадут! Не смешите!

Надя, вернувшись через минуту в кухню, где еще пребывал в недоумении Саша, поспешила сделать ему еще одно предложение:

— Есть еще один вариант.

— Интересно, что на этот раз? — Саша ухмыльнулся. Он до сих пор находился под впечатлением от первого предложения и мысленно прикидывал, на что потратить миллион рублей.

— Мы прямо сейчас с Катей съедем отсюда и больше никогда не вернемся, если ты в присутствии нас и твоей любовницы возьмешь вот этот нож, — Надя поднесла к его лицу большой кухонный нож для резки мяса, — и отрежешь себе яйца.

— Ну что, ты видела его? Что ты ему сказала? Я слышала только твой голос.

Катя нервничала, она сидела на диване, кутаясь в плед, и ждала от подруги только плохих новостей.

— Красивый. Ничего не скажешь. Но дурак. Если мы с тобой найдем миллион рублей, чтобы выкупить квартиру, то он оставит тебя в покое. И ты заживешь новой жизнью.

— Ты шутишь? Откуда у меня такие деньги? Весной, в сезон, я смогла бы продать дом в деревне самое большее за четыреста тысяч, но сейчас... — Она горько вздохнула. — Надя, разве могла я когда-нибудь представить, что моя жизнь так повернется... И что человек может настолько измениться! Нет, конечно, он никогда не был особенно ласковым, нежным, но я была влюблена, и мне было достаточно того, что чувствую к нему я. Теперь-то я понимаю, что так нельзя, что наш брак был с самого начала обречен... Ему нужна была другая женщина, более красивая, интересная, раскрепощенная... Он — мужчина с фантазией, я не могла сделать его счастливым.

— Да козел он, а не мужчина с фантазией. И наверняка извращенец! Знаешь, вот глядя на твоего Сашу, начинаешь ненавидеть мужчин, честное слово! Ладно, Катюша, не горюй. Я одолжу тебе денег. Отдашь, когда сможешь.

Катя посмотрела на нее испуганно, с недоверием.

— Ты шутишь? Надя, что вообще происходит? Ты выиграла в лотерею? Или у тебя появился богатый покровитель?

— Ни то, ни другое. Но когда-нибудь, я же обещала тебе, я тебе все расскажу. А сейчас давай пировать! Доставай фужеры, тарелки, а я принесу все остальное!

В какой-то момент Надя вдруг почувствовала странное ощущение, словно она летит куда-то в пропасть. Голова ее закружилась, и она присела рядом с Катей, вцепилась в ее руку.

— Знаешь... У меня сейчас такое чувство, будто бы все, что происходит со мной, срежиссированно кем-то сверху... Что меня будто кто-то ведет и указывает мне, как поступать, что говорить. Вот и сейчас я разговаривала с твоим бывшим мужем так, как никогда и ни с кем не разговаривала. Словно в меня вселилась другая женщина. Решительная, смелая, даже грубоватая. А ведь я не такая...

— Вероятно, в какой-то момент жизни мы все меняемся, включаются какие-то другие чувства, и мы начинаем вести себя так, как того требует ситуация. Вот бы и мне тоже измениться, как бы мне хотелось стать сильнее!

— Я помогу тебе.

— А насчет денег — это шутка?

— Нет. Просто у меня есть человек, который одолжит мне эту сумму, — солгала Надя, сама не понимая, как ее угораздило принять такое решение. По первоначальному плану она должна была вернуть миллион евро Виталию Бузыгину. Для этого она ушла из дома. Но что такое миллион рублей для такого человека, как он? Да он и не заметит! Зато она спасет Катю. Ради этого стоит рискнуть. К тому же, оформив квартиру, Катя в знак благодарности позволит Наде жить у нее, сколько понадобится.

Конечно, выпив вина, Надя захотела рассказать Кате всю правду. Но уж слишком большой был риск признаваться в том, что в сумке, под кроватью, лежат такие деньжищи! Соблазн невероятный. А вдруг Катя захочет вернуть себе мужа с помощью денег? Пообещает ему купить машину или бизнес? Катя, Катя... Кто знает, какие мысли бродят в ее голове и куда они могут ее привести...

Однако не рассказать ей ничего о том, что произошло с ней самой, было бы тоже неправильным. Поэтому пришлось прямо на ходу придумывать более-менее правдоподобную историю, из-за которой ей пришлось на время расстаться с семьей и покинуть дом. Решила сыграть на особенностях профессии Бориса, напустить туману и одновременно расположить Катю к себе, посчитав, что обещанный беспроцентный кредит будет для зарождения их дружбы недостаточным.

— Я должна найти одного человека. Это связано с работой моего мужа, поэтому я не могу тебе всего открыть. Вот найду, поговорю с ним, все выясню и вернусь.

— Прямо как в романе! Обещаю тебе, Надечка, что не стану допытываться, это вообще не мое дело. Уж если ты, Надя Юфина, человек в высшей степени серьезный и ответственный, а я знала тебя именно такой, так поступила, значит, на это были серьезные причины. Я так подозреваю, что от разговора, ну, с этим человеком, зависит твой муж, быть может, его безопасность или даже жизнь! Можешь располагать мной, моим временем, словом, я готова сделать для тебя все.

— Для начала мы должны избавиться от твоего бывшего мужа, оформить квартиру, а потом ты вернешься на свою «кондитерку», восстановишься на работе и будешь себе спокойно жить. Единственное, что ты для меня можешь сделать, это позволить мне какое-то время жить здесь у тебя, прятаться. Ну и держать язык за зубами, конечно. Борис, мой муж, будет меня искать. Я уверена, что он уже нашел меня в списках пассажиров московского поезда...

С тех пор, как Надя ушла из дома, ее не покидало ощущение полета, парения над реальностью. Она словно бы видела себя со стороны, как это бывает во сне, и именно это чувство, подаренное ей инстинктом самосохранения, уберегало ее рассудок от срыва и придавало силы. Если бы не это чувство, не эта естественная, природой дарованная защита, она давно бы уже сошла с ума, поскольку все, что она делала, начиная с того момента, как увидела сумку, полную денег, и заканчивая разговором с Сашей, было ей совершенно несвойственно.

И словно для того, чтобы она все же не забывалась и не оторвалась окончательно от этой самой реальности, ее психическая броня на время исчезала, и Надя с ужасом осознавала, что она наделала. И когда мысли обращались к недавнему прошлому, ей хотелось схватить сумку и бежать к мужу, разрыдаться перед ним и объяснить свой поступок. Тем более что, по большому счету, она же ни в чем и не была виновата. И ушла она из дома исключительно для того, чтобы Виталий своим появлением не травмировал Бориса, не нарушал покоя их семьи.

И в то же самое время в моменты просветления, когда нервы заменяли кожу и все происходящее приобретало более острый, болезненный характер, Надя спрашивала себя, не подменила ли она страх любовью? Что, если стремлением оградить мужа от волнения и ревности она прикрывает свой страх перед ним? И так ли уж надо дорожить браком, где постоянно нужно себя сдерживать, жить вполсилы, завися от настроения и жизненных принципов другого человека?

Ну появился Бузыгин из ее прошлого, ну подарил ей миллион. Но это же его поступок, а не ее. Это он вторгся в ее жизнь. И Борис, как ее муж, как мужчина, как отец ее детей, должен был бы сделать все возможное, чтобы Виталий снова исчез. И так бы все, может, и случилось, если бы Надя сразу же после того, как ей передали сумку с деньгами, позвонила Борису и все рассказала, но, зная своего мужа, испугалась его реакции.

К тому же она помнила Виталия и могла себе представить, на что он может быть способен, чтобы, во-первых, произвести на нее впечатление или даже вернуть ее себе, во-вторых, чувствуя, что Надя никогда к нему не вернется, оклеветать ее в глазах мужа. Придумать, скажем, какую-нибудь историю о том, что все это время, что он был на свободе, они находились в связи. Да мало ли что может придумать отвергнутый мужчина?!

Это сейчас она все это анализировала, пыталась понять собственный поступок, а тогда, когда все это случилось и она приняла быстрое решение, ею двигал все же инстинкт. Или же кто-то там, наверху, действительно двигал ею?

— Ты очень хорошо готовишь, — голос Кати вернул ее в действительность. — Не помню, чтобы раньше я получала столько удовольствия от еды. Отбивные просто роскошные, а этот чернослив... Надя? Ты слышишь меня?

— Да-да, просто задумалась...

— И где ты планируешь искать этого человека? Как его хотя бы зовут? Ой, извини, забылась... Молчу-молчу.

Катя разрумянилась, ожила.

— Мне нужно найти частного детектива, иначе как? У меня же никакой информации.

— И где будешь искать этого частного детектива?

— Куплю газеты, поищу в объявлениях. Был бы компьютер, поискали бы в Интернете. Вот, кстати! Завтра купишь мне хороший ноутбук и подключишь Интернет.

— Интернет есть! Сашка еще в прошлом году установил беспроводной Интернет. Вот утром он уедет, привезу компьютер, и мы все подключим! Пароль я помню!

— Катя...

— Что?

— Ты ничего не слышишь?

Они обе замолчали.

— Тишина, — прошептала Надя. — Разве ты не заметила, в квартире — тихо! Твои соседи притихли и сидят как мышки. Ни тебе музыки, ни грохота посуды в кухне.

— На самом деле... Да они вообще, похоже, в кухню не выходили, иначе бы я услышала. Ничего себе! Значит, сидят голодные. Или же ушли куда-нибудь в ресторан или кафе... Что же такое ты ему сказала?

6. Надя. Саратов – Адлер, 2014 г.

Она перевернула страницу, закрыла на время то, что было связано с Катей и ее практически решенными проблемами, и теперь смотрела в окно купе поезда Саратов — Адлер, в котором ехала в Лазаревское, туда, где, по рассказам Виталия, проживала его сестра, единственный человек, по мнению Нади, который мог знать его фактический адрес или номер телефона. Сестра. «*...Вот поработаю немного, накоплю деньжат, и мы рванем с тобой в Сочи или Лазаревское, купим там дом на море, чтобы и сад был... У меня там сеструха живет, они с мужем недавно дом купили, коз держат, все для туристов, понимаешь? Развернулись короче*». — «*У тебя есть сестра?*» — «*Ну да, Тонька! Она хоть и косит немного, еще с детства, а мужика отхватила себе нормального, с понятием*».

Вот и отправилась она в Лазаревское искать «косую» женщину по имени Антонина (девичья фамилия предположительно Бузыгина), у которой есть приличный муж «с понятием», дом и козы.

...Частный детектив, которого она наняла, уже через сутки дал ответ, что человека с такой фамилией в городе нет, вернее, что он нигде не зарегистрирован: ни в одной гостинице, ни по адресу. Зато его данные сохранены в базе МВД. В 2001 году он был осужден, отправлен в колонию строгого режима в Сургут и выпущен на свободу в прошлом, 2013 году. Возможно, он зарегистрирован в другом городе, но для того чтобы его найти, требуется время.

А Надя не хотела ждать. Она понимала, что человек с таким прошлым, да еще и с «меншиковским» кладом в кармане, вряд ли станет светиться где бы то ни было, он, возможно, вообще сменил имя и фамилию и живет по фальшивому паспорту. И пока еще живет здесь, в России. Ведь нашел же он Надю зачем-то, не уехал сразу за границу, куда уезжают практически все нормальные люди с большими деньгами, да еще и с криминальным прошлым. Начинают жизнь в какой-нибудь красивой цивилизованной стране, покупают дома, яхты... Женятся, наконец, заводят детей.

Она не верила в то, что он нашел ее для того, чтобы позвать за собой в дальние страны, в новую жизнь. Такой любви не бывает. Все-таки прошло почти тринадцать лет, и за это время он, сидя в тюрьме, наверняка списался с какой-нибудь женщиной, которая ждет его, реально строит планы на будущее.

А что Надя? Она никогда не интересовалась им, хотя думала часто. Особенно в первые годы, приходя в себя после перенесенных страданий. И это чудо, что ее не осудили, не посадили, что судьба распорядилась таким образом, что она встретила Бориса, который полюбил ее всем сердцем и по сути спас, дал ей шанс начать все заново.

Когда она вернулась после всего пережитого, после следственного изолятора, где мысленно прощалась с нормальной жизнью, домой, к Лере, она несколько дней пролежала в постели, чистая, с вымытыми, очищенными от запаха нечистот, которым была пропитана камера, волосами, глядя в окно на падающий снег и желая только одного: чтобы эта чистота никогда не кончалась. Она несколько раз в день принимала ванну, и психолог Крупнин, который работал с ней по настоянию Леры, объяснял это ее желанием очистить не столько свое тело, сколько мозги и душу.

— Зачем мне психолог, я и так знаю, что и зачем, — говорила, умываясь слезами, Надя, когда за Крупниным, маленьким человечком с внимательными большими глазами, закрывалась дверь. — Скажи ему, что мы больше в нем не нуждаемся. Он приезжает к нам из областного центра, ты платишь ему большие деньги, а легче мне от его визитов не становится. Наоборот, когда я вижу его, мне начинает казаться, что я нездорова, больна, что еще немного, и мне потребуется помощь уже не психолога, а психиатра, а это далеко не одно и то же.

Лера рассчитала Крупнина, но как-то так сложилось, что они стали чуть ли не друзьями. Лера, казалось бы, деревенская простая женщина, иногда подолгу разговаривала с ним, умным интеллигентным человеком, по телефону, и разговоры эти были вовсе не о психологии, а о жизни. Надя предположила даже, что Крупнин, ровесник Леры, влюбился в нее. Лера же, продолжая жить с соседом, Родионом Чащиным, время от времени ездила в город на свидания с Крупниным. Нет, конечно, Лера и раньше ездила в город за покупками и по делам, но одевалась при этом просто, по-деловому, в костюм или брюки, а в ту весну 2001 года она сшила у местной портнихи Валеевой несколько ярких платьев, купила блузку с кружевами и начала красить ресницы.

Зиму пережили, Надя вернулась в школу, где никто ее особенно не доставал в связи с Бузыгиным. По Сенной сначала ходили слухи о беременности Нади, но никакой беременности, слава богу, не случилось, да и к местной акушерке Надя не обращалась. Посудачили-посудачили да и забыли.

К ним домой зачастил Борис. Никогда не вспоминал Виталия, ни слова не говорил об убийствах и грабежах. Понимал, что ей будет больно. Говорили на самые нейтральные, разные, обычные житейские темы.

Февраль выдался холодным, никому и в голову не приходило гулять или даже идти в клуб, вот и сидели втроем — Надя, бабушка Лера да Борис — в кухне за столом, пили чай, играли в карты, смотрели телевизор. Потом Лера уходила к Чащину, и Надя оставалась с Борисом вдвоем. Видела, как он смотрит на нее, как страдает от того, что не может признаться в своих чувствах, но сама-то к нему ничего не испытывала. Сравнивала с тем, что с ней было, когда она оставалась наедине с Виталием. Как жарко он ее обнимал, какие сильные у него были руки и сладкие губы. Вот все умом понимала, что он бандит, настоящий, убийца, что у него нет сердца, раз он так легко убивал людей, но почему-то она долго не могла забыть о нем и ночью, забывшись, искала рядом с собой его, такого желанного, родного.

Вот это-то и убивало ее больше всего: за что она его любит? Может, она сама такая? Разве можно вообще любить убийцу? Значит, она как бы простила ему все, что он натворил. Ее любовь к Виталию была одновременно и тайной радостью, и тяжелой ношей. Вспоминались самые приятные минуты, проведенные с Виталием. Свадьба, потом безумие, которое захватило ее и бросило в объятия незнакомого парня. Снежная тихая ночь, разрезаемая ее веселым, счастливым смехом и визгом, когда они кувыркались в снегу, который залеплял ей лицо и таял под горячими губами Виталия.

Виталий. Он проникал в нее настолько глубоко, что, казалось, заполнил каждую пору ее существа, его здоровая, густая кровь, источник энергии, словно заполнила и ее вены, и его плоть сделала более грубой и ее тело, она после его объятий чувствовала необычайный прилив сил, как если бы этот молодой мужчина поделился собой с ее хрупким девичьим телом.

Понятное дело, все это были ее фантазии. Но она так его чувствовала, так понимала, и долгое время он снился ей, и тогда ее сон казался ей самой настоящей реальностью.

Что это все-таки было? Любовь? Или мощное впечатление от первого мужчины? Или все это вместе, помноженное на сильнейший нервный стресс?

С Борисом все было совершенно иначе. Он был красив, умен, говорил ей ласковые слова, привозил из города живые цветы и экзотические фрукты, словом, ухаживал красиво, и чувствовалось, что он испытывает к ней самые чистые и глубокие чувства, но вот огня в нем не было. Ни искры. Даже когда он в отсутствие Леры, сидя рядом с Надей, пытался обнять ее, она ничего к нему не чувствовала. Ей нравилось нравиться ему. Но любви, которая, словно землетрясение, всколыхнула бы ее, не было.

Всю правду о Наде и Борисе говорила умная и очень тонко чувствующая внучку Лера:

— Твой Бузыгин как током тебя ударил, вот ты, девочка моя, и ждешь чего-то похожего. Но Боря другой, понимаешь? Он — его противоположность. Зато в нем есть такие качества, которые подходят для брака. Он надежен, спокоен, с ним у тебя всегда все будет ровно, как сейчас говорят, хорошо. Не думаю, что тебе следует от него отказываться. Борис — прекрасный молодой человек, и по сравнению с ним все другие мужчины, которые у тебя могут появиться, будут хуже.

— Откуда ты знаешь, какие мужчины могут у меня появиться? Может, кто-то будет лучше Бориса.

— Может, и будут. Богатые, например. Но богатство не всегда есть счастье. К тому же мужчина, у которого много денег, рано или поздно свыкается с мыслью, что он достоин чего-то большего, лучшего или, во всяком случае, разнообразия, и вряд ли он ограничится одной-единственной женщиной — женой. А Борис — верный. Поверь мне, это немало.

Он приходил к ним почти каждый день, Надя с Лерой кормили его, они все вместе проводили вечера. Когда наступила весна, сошел снег и потеплело, Борис с удовольствием перекопал огород, подремонтировал забор, перекрыл крышу. Он все чаще и чаще стал оставаться у Юфиных на ночь, но спал в большой комнате на диване. Никаких страстных порывов с его стороны к Наде никогда не было, ни решительных прикосновений, ни настойчивых поцелуев. Чувствовалось, что он ждет. Надя же не торопилась. Но самое сложное в их отношениях было то, что Надя стыдилась его. Пока его не было, она могла включить свои любимые песни на полную громкость и даже мыть полы, танцуя. Когда светило солнце в окна и дом наполнялся жизнью, теплом, Надя чувствовала, как и в ней тоже встает солнце, и такое неизъяснимое и непонятное счастье охватывало ее, такая радость поднималась, такое начиналось сердцебиение, что хотелось взмахнуть руками и приподняться над полом, коснуться головой потолка...

Когда же она слышала звук отпираемой калитки, видела в окно Бориса, решительным шагом направляющегося к крыльцу, она моментально опускала крылья своей души, застегивала кофточку на все пуговицы, надевала юбку, забирала в хвост свою рыжую гриву, и руки ее принимались сами, машинально все вокруг приводить в порядок, укладывать рядами, стопками, выравнивая все в строгие линии. Даже тапочки у порога выстраивались, как солдаты на плацу.

Надя показывала миру другую, сделанную в угоду обществу и, главное, Борису девушку. Скромную и сдержанную, мечтающую выйти замуж за молоденького опера Бориса Гладышева.

Свадьбу сыграли в 2003 году, в областном центре, куда Борис привез Надю в свою собственную маленькую квартирку и где ему предложили должность следователя прокуратуры.

Жизнь потекла циклично, как все в этом мире: первая беременность, роды, вторая беременность, роды, круг домашних обязанностей, ожидание мужа с работы, прогулки с детьми в парке, редкие праздники. И все это считалось примерной семьей с примерными супругами и родителями.

Надя мечтала научиться водить машину и в один прекрасный день забрать детей и покатить с ними на море. Без Бориса. И это при том, что мужа она по-своему любила, даже понимала его и тем не менее никогда не чувствовала себя рядом с ним свободной...

...В купе постучали. Надя предположила, что это снова проводница, никак не желавшая мириться с тем, что пассажирка выкупила целое купе и едет в нем одна, в то время как есть желающие даже в январе добраться до юга. Надя, уверенная в том, что вообще будет в вагоне одна, поскольку понятия не имела, чем можно заняться в Сочи или в окрестностях зимой, задала этот вопрос проводнице, на что та ответила, что некоторые пассажиры едут просто по делам, некоторые — в гости к родственникам, и их поездки не связаны с курортными особенностями края, а так вообще-то зимой туда едут парочки, чтобы спокойно отдохнуть, пожить в спа-отеле, посетить форелевое хозяйство или страусиную ферму, где угощают жареной форелью и страусиными яйцами, или дельфинарий в Адлере, где в выходные даже в зимний период дают зажигательные представления. Не говоря уже о горнолыжных курортах.

Стук повторился. Надя заготовила даже фразу для назойливой проводницы, что не собирается ни дарить, ни даже продавать одно из своих трех свободных мест в купе какому-нибудь любителю страусов или дельфинов, но воспользоваться ею ей не пришлось. Перед ней стояла девушка лет восемнадцати-двадцати с испуганными глазами, полными слез.

— Вы извините, — тихо проговорила она, оглядываясь, словно боясь, что ее услышат. — Но я видела, что вы едете одна... Нет-нет, вы не подумайте ничего такого, просто приютите меня хотя бы на полчасика.

Может, в другой ситуации Надя и захлопнула бы дверь перед лицом незнакомки, но она узнала ее — девушка была из соседнего купе. Она ехала в компании старика, мирно читавшего толстую книгу в бледном свете зимнего дня. Ему на вид было лет сто, Надя еще отметила, проходя мимо и от любопытства бросив на него взгляд, как это родственники отпускают таких древних стариков в далекие поездки. А еще из этого купе доносился сильный запах чеснока.

Итак — соседка. Быть может, ей действительно понадобилась помощь?

— Заходите, — она впустила ее. Девушка же поторопилась закрыть за собой дверь и даже запереть на защелку-блокиратор.

Несколько секунд она стояла, прислонившись к зеркальной двери, словно прикидывая, как ей дальше поступить, сомневаясь, что вообще постучала именно в эту дверь.

— Вы точно едете одна?

И тут Надя почувствовала, как волосы на голове шевелятся и ее пронизывает холод настоящего страха. Ведь под сиденьем у нее брошенная как бы небрежно лежит сумка с неполным миллионом евро плюс жестяная «шоколадная» коробка со старинными брошами. Неужели Бузыгин следит за ней и приставил шпионов? Смысл?

— А почему вас интересует, с кем я еду? — не мигая, не шевелясь и чувствуя, как по спине уже начинает струиться пот, прошептала перепуганная насмерть Надя.

— Мне надо немного времени, чтобы перевести дух... Чтобы прийти в себя. Мне страшно, и я не знаю, с кем поговорить, посоветоваться. Мне нужна помощь...

— Так обратитесь к проводнице.

— Вы что?!! Можно я присяду?

Надя кивнула. Девушка села на диванчик напротив нее.

Высокая, худенькая, в тонком белом свитере и черной длинной вязаной юбке, она выглядела бы куда современнее, если бы на ней были джинсы, а черные волнистые волосы, затянутые сейчас в узел на затылке, свободно струились по плечам. Да и немного косметики бы ей не помешало. Хотя бы румян. Уж слишком она была бледной. А глаза, черные, огромные, так и сверкают.

— Меня зовут Женя. Еще недавно моя фамилия была Дунаева, но вот уже три дня я — Евгения Борисовна Гольдман.

— Поздравляю, — зачем-то сказала Надя, еще не успевшая оправиться от своих страхов. — Вы вышли замуж?

— А откуда вы знаете? Хотя... Уф... Кажется, я начинаю сходить с ума. Я же сама только что сказала вам, что сменила фамилию. Да, вы правы, я вышла замуж. Вы видели старика в моем купе?

Надя замерла, потом, когда до нее начал доходить смысл ее слов, медленно покачала головой:

— Нет. Этого не может быть. Это ваш... Мне даже страшно произнести это слово...

— Муж. Да, это мой муж. Как вы думаете, сколько ему?

— Сто?

— Восемьдесят девять.

— Да как же это случилось?

— Еще в школе я влюбилась, закрутила роман с парнем, красивым, молодым, у него был свой бизнес... Вышла за него замуж, мой отец тоже вложился в его дело, все шло так хорошо, а потом начались проблемы... Они занимались черными металлами, цены упали, это была государственная политика... — она говорила быстро, проглатывая слова и окончания, — я не очень-то сильна во всем этом... Знаю только, что были кредиты, что надо было как-то выкручиваться, продавать эти краны, знаете, такие огромные... Продавали за бесценок... Господи, сама не знаю, зачем вам все это рассказываю... У Вити были помимо кредитов еще другие долги, он должен был одному типу... Словом, Витя погиб полгода назад. Мне пришлось продавать все, что у меня было, в том числе и квартиру, переезжать к родителям, которые сами едва сводили концы с концами... Потом у меня на нервной почве случился выкидыш... А тут этот Лев Михайлович, старинный друг моего отца, у него всю жизнь были рыбные магазины... Потом его сын, Михаил, открыл рыбный ресторан в Москве. Мы жили по соседству, понимаете? И это он сам, видя наше положение, предложил моему отцу взять меня в жены.

— А вам сколько лет?

— Двадцать один.

Надя присвистнула.

— Он знал, что я хорошо готовлю, я думала, что он только из-за этого и решил жениться на мне. Я понятия не имела, что у него насчет меня совершенно другие планы...

— Какие? — тихо спросила Надя, вдруг вспомнив довольно странные звуки, доносившиеся из купе во время стоянки в Волгограде, длившейся сорок пять минут. Звуки были хорошо слышны именно из-за того, что поезд стоял.

Нет, это невозможно, ему же восемьдесят девять лет!

— Да мы как только сели в поезд, он запер дверь и начал... — Женя вся сжалась, судорожно стиснула кулачки и замотала головой, словно пытаясь избавиться от неприятных воспоминаний и ощущений. — Он не слезал с меня, этот конь! А что я могла поделать? Ведь это же наше свадебное путешествие! Вернее, не совсем... Лева собирался покупать дом в Сочи, мы сами выбрали его по Интернету... Надо было его посмотреть, так что наша поездка была не только развлечением...

Вот сейчас Надя обратила внимание на множество драгоценностей, которыми была увешана молодая женщина. Золото, бриллианты, все такое массивное, не совсем подходящее ее возрасту и, видимо, доставшееся ей после смерти бывшей жены ее мужа.

— Он еврей и никакой не Лев Михайлович. Его настоящее имя Лейб Хаимович Гольдман. Нет, он хороший, добрый и очень умный. Я понимала, конечно, что мое замужество со стороны может показаться чем-то отвратительным, стыдным... Но я готова была готовить ему круглые сутки (он очень любит вкусно поесть), убираться, стирать его одежду, вести хозяйство... Я научилась готовить форшмак, фалафель, хумус, фаршировала щуку, ну и пекла, конечно, наши, русские пироги, которые ему нравились... Я старалась, еще до свадьбы жила у него, приводила все в порядок... И он, представьте, даже пальцем меня не тронул, выказывал исключительно заботу и нежность. Дарил мне золото, давал деньги, чтобы я купила себе одежду... Правда, намекнул, что я не должна выглядеть уж слишком, как пацанка... Вот и пришлось покупать эту юбку... Словом, я подумала, что этот брак может спасти всю нашу семью, ведь Лева заплатил все наши долги и обещал выкупить мою же квартиру, выставленную на продажу... Все шло так хорошо...

И вдруг эта поездка, это купе... Кто бы подумал, что в нем столько энергии! Меня... Меня тошнит от него!!! Это такая гадость!

Она вдруг замолчала и сидела, глядя Наде прямо в глаза, словно не зная, продолжать ли ей свой удивительный рассказ о старом еврее-жеребце или нет.

— Женя, вы можете выспаться и отдохнуть у меня здесь, — Надя сама решила ей помочь. — Он сейчас где? Наверняка спит?

— Знаете, он очень любил котлеты с чесноком. Я нажарила ему в дорогу целый контейнер. И он в перерывах между этим... ну, вы понимаете... ел эти котлеты... Он ест, а я в это время бегу в туалет, моюсь, как могу, холодной водой... И мне кажется, что моя кожа тоже начинает пахнуть чесноком...

— А вы наберите в пластиковую бутылку холодной воды, добавьте туда горячей из котла у проводницы. И мойтесь теплой водой. На здоровье!...

Она все еще никак не могла понять, что этой девушке от нее нужно.

— Вас как зовут? — спросила Женя.

— Надя.

— Надя, он умер. Примерно час назад.

Надя медленно подняла голову, встретилась взглядом с мутными от слез глазами Жени. И только сейчас заметила припухлости в уголках глаз, истерзанный розовый рот, словно она все это время кусала губы. Или же это были следы от страстных, полных предчувствия смерти, поцелуев Лейба Хаимовича?

— Женя, вы что, его убили? — спросила она шепотом.

— Нет. Он умер на мне. Как в анекдоте. Как в фильмах про стариков-извращенцев. Он лежит там, — она брезгливо показала пальцем на стенку, — со спущенными штанами... У него ягодицы худые, с какой-то чернотой на коже... Словно он тысячу лет сидел на черных камнях.

— А что вы хотите от меня? Нужно же вызвать проводницу, начальника поезда, полицию... Вы ни в чем не виноваты, поэтому вам и волноваться нечего...

— Я не хочу... Не хочу всего того кошмара, связанного с обратной дорогой, похоронами, дележом наследства, ведь у него же есть сын, внучки и внуки в Москве... Не хочу осуждающих взглядов на поминках. Ничего этого не хочу. И золота этого его тоже не хочу...

И она принялась нервными резкими движениями срывать с себя украшения — перстни, серьги, колье, браслеты. И складывать все это на столик.

— Мне от него ничего не надо... Он уже отдал все отцу, что хотел. Да и я с ним как будто бы расплатилась...

— Я ничего не понимаю, Женя.

— Пожалуйста, я вам сейчас напишу адрес его сына в Москве, телефоны. Отдайте ему все это. Положите куда-нибудь, спрячьте и, когда будет возможность, сначала позвоните ему, скажите, что вам нужно с ним встретиться... Конечно, можно было бы увидеть его на похоронах Левы в Саратове, но кто знает, когда и как туда доставят его тело...

— А вы? Что вы хотите сделать?

— Я хочу сойти на ближайшей станции и исчезнуть.

— Но ваш долг похоронить его!

— Послушайте, я все равно не стану этого делать... И мне ничего не надо от этой семьи. Когда я сойду, и вы позовете проводницу, и поднимется вся эта шумиха, вы увидите на столике мою записную книжку, там адреса и телефоны его родственников, сына... Господи, у меня голова идет кругом... Вы позвоните ему прямо сейчас, скажите, что его отец умер в поезде, что жена его, Женя, исчезла... И что она оставила в купе драгоценности его матери... Он сам скажет вам, что делать. Он очень умный и проворный человек.

— Но мне-то это зачем?

— А я вам заплачу. За хлопоты. У Левы в чемодане лежат деньги, евро, тысяч пятнадцать. Я бы вообще могла просто сойти на станции и исчезнуть... И меня бы долго не могли найти. Но тогда бесследно пропали бы все украшения и деньги Миши, понимаете? И все подумали бы на меня. А так — вы все вернете. Соглашайтесь, умоляю вас. А деньги я вам сейчас принесу...

Надя на какое-то мгновение представила себе заполненную людьми комнату с гробом посередине, выпуклый и словно припудренный лоб покойника с орлиным профилем, одетую в траур Женю, уменьшающуюся на глазах под взглядами людей, пришедших попрощаться с ее мужем. И ядовитый шепот. «Это она убила его... В поезде... проколола ему сердце вязальной спицей... Таблетки вовремя не дала... Я сама лично видела, как она ходила в бриллиантах Сарочки... Вы не знаете, сколько денег он дал ее отцу? А сейчас еще и квартиру его приберет к рукам, и деньги... Сучка молодая. Дрянь».

— Но вас же будут искать, Женя!

— Поселюсь где-нибудь в деревне, затаюсь... Начну новую жизнь. Да, я еще записку родителям напишу, передадите? Не важно, когда. Главное, чтобы они знали, что я жива и здорова.

— Послушайте, у меня другая идея. Понимаете, вот так быстро это не делается... Хорошо, предположим, вы сейчас сойдете на станции... Какая сейчас будет станция, не знаете?

— Знаю, я посмотрела расписание... Через полчаса станция Зимовники, в 21.43, стоянка три минуты.

— Вот! Сойдете, пересядете на другой поезд, идущий в этом же направлении, и доедете до Лазаревского. А там найдете меня в гостинице «Шторм», я вам сейчас напишу адрес. Вот когда мы с вами там встретимся, тогда, не торопясь, все обдумаем, решим, как правильно поступить. Украшения свои забирайте, деньги — тоже. Вы правы, все исчезнет, если вы оставите здесь...

Тело вашего мужа найдут, в записной книжке — телефон его сына, родственников, полиция разберется, сообщит им, и потом все пройдет так, как положено. Тело будет сохранено в городском морге, в Сочи, к примеру. Туда прилетит из Москвы его сын или внук, заберут его, похоронят, быть может, в Москве. Это уже они сами решат. Потом вы каким-то образом сообщите им о том, что отказываетесь от наследства и что готовы подписать все документы и вернуть драгоценности их матери. И вот после этого, я думаю, они простят вам ваш поступок, ваше бегство, так скажем... Лейбу Хаимовичу вы сейчас все равно уже ничем не поможете.

Конечно, ваше бегство может показаться просто дичайшим поступком, непонятным... Но я вас понимаю, Женя.

Она чуть не добавила: вы еще не знаете, в какую историю влипла я сама!!!

Женя бросилась к Наде, обняла ее за шею, разрыдалась.

— Понимаете, я — дура, дура!!! Но я должна была помочь папе. Все это мы сделали от отчаяния... Но я не знала, не знала, что вот так ужасно все это может закончиться... испугалась, понимаете! К тому же слишком много обрушилось на мою голову... Я перестала спать... Я мужа вижу во сне, просыпаюсь вся в слезах... Я бы просто не вынесла эти похороны и все такое, чувствую, что эту психологическую планку мне просто не одолеть.

— Успокойтесь. Вам нужно вернуться в купе, собраться, взять все только самое необходимое, оставить записную книжку на видном месте и сойти в Зимовниках. Это все. Уложите вашего мужа, укройте его одеялом так, чтобы он выглядел спящим. Вы выйдите из поезда как будто бы за сигаретами, налегке, без вещей... Если хотите, я выброшу ваш чемодан или сумку в окно... Пусть проводница подумает, что вы просто опоздали на поезд... Это для полиции...

— Отличная идея!

— Спрячьте украшения... — Надя придвинула ей драгоценности Гольдмана. — Понадежнее.

— Спасибо вам...

Пока Надя писала свой номер и адрес гостиницы, Женя сходила в свое купе, собралась и вернулась к ней с небольшой сумкой. Она была бледная, растерянная.

— Проводница может увидеть вас здесь, Женя. Мне тоже неприятности не нужны. Отправляйтесь в вагон-ресторан, вот оттуда и выйдете на перрон. Давайте сюда вашу сумку, как только поезд тронется, я скину ее вам. Надеюсь, вы верите мне.

— Да бог с ней, с этой сумкой... Главное — это деньги и драгоценности, а они все на мне, рассовала по карманам.

— Ну что ж, тогда — с Богом!

7. Борис. Саратов, 2014 г.

В кабинет постучали. Борис тряхнул головой и потер кулаками глаза, словно засыпанные песком. Бессонница. Мысли о том, что его обманули, предали, что от него сбежали, опозорили, унизили (вся прокуратура уже знает, что он разыскивает сбежавшую жену!), не давала ему покоя. Да он просто сходил с ума! Ведь ему-то казалось, что ему повезло с женой, что она — самый близкий и родной человек! У них прекрасные дети! Чего ей не хватало? Он всегда был нежен с ней, заботился о них. Конечно, они никогда не были богаты, и его мать постоянно, он знал, тайком от него давала Наде деньги. Или же сама покупала ей то колечко, то цепочку золотую, а в ноябре вот, к примеру, добавила пятьдесят тысяч на шубку! Ему было приятно, что между его самыми близкими женщинами сразу же установились сердечные отношения.

Ну что, что могло случиться, чтобы Надя, так любившая своих сыновей, подбросила их свекрови и исчезла? Ну, какая еще тетка? Какие похороны?!

— Войдите.

Дверь отворилась, и он увидел худенькую женщину в тонкой курточке, джинсах. Из-под вязаной шапочки выбиваются длинные волосы. Взгляд настороженный, какой бывает у человека, который не уверен, что не перепутал дверь и вошел именно туда, куда надо.

— Это вы — Борис Петрович Гладышев?

— Да, это я. Проходите, — он знаком предложил посетительнице сесть. — Слушаю вас.

— Вы — муж Нади Юфиной, так?

Он моментально выпрямился на стуле, чуть не подскочил. И испугался, сердце его забухало в груди, кровь запульсировала в висках. Неужели с ней что-то случилось? Господи, помоги, Господи, помоги!

— Вы кто?

— Меня зовут Катя. Я знаю, что произошло, поэтому и пришла. Хотя я дала слово Наде, что не выдам ее.

— Что с ней? Где она? Жива? Здорова? С кем она ушла? Куда?

— Да успокойтесь вы... — Катя перешла на шепот и заговорила медленно, проговаривая каждое слово, словно боясь, что он не услышит ее, не поймет смысла сказанного. Однако по мере того, как она подбиралась к главному, темп ее речи ускорялся, и последние слова она просто выпалила скороговоркой. — С ней все в порядке. Не знаю даже, с чего начать... Понимаю, что я своим визитом к вам как бы предаю Надю, которая, можно сказать, вытащила меня из могилы... Да-да. Не удивляйтесь! Я была ну просто на грани, от меня муж ушел... Но это уже не важно... Я резала себе вены. А она меня спасла! Она просто вернула меня к жизни, а сама, я так думаю, влипла в какую-то нехорошую историю... Ну просто очень нехорошую. И я здесь, чтобы успокоить вас как ее мужа, сказать, что у нее нет никакого любовника и что она ушла из дома не по своей воле. Ее заставили! Какие-то нехорошие люди, которым задолжали вы, Борис Петрович. Да-да, она мне так и сказала, что она ищет одного человека, чтобы поговорить с ним! И этот человек — кто-то из вашего окружения, я имею в виду — преступник! Речь идет о какой-то важной информации, я так поняла. Вот она разыщет его, поговорит с ним и сразу же вернется.

— Это она вам сказала? — Борис от волнения перешел на свистящий фальцет. — Она? Сама? Она была у вас? Когда?

— Да пару дней назад и пришла. Она была очень взволнованна. Рассказала, как вынуждена была уйти из дома незаметно, как придумала историю про умершую тетку, чтобы вы не искали ее хотя бы какое-то время.

— Она поехала в Москву? — Борис готов был схватить эту Катю за горло и сдавить, чтобы она рассказала все, все! И как можно скорее!

— Нет-нет, ни в какую Москву она не поехала. Это я покупала по ее документам билет, чтобы отвлечь вас... Она так и сказала, что вы будете ее искать.

— Но почему она не обратилась с проблемой ко мне? — вскричал он, почти зарычав. — Этого она вам не рассказала?

— Она сказала, что вся эта история связана с вами, с вашей профессиональной деятельностью. Сначала-то я восприняла это нормально, ну, думаю, встретится она с человеком, поговорит и вернется домой, а сейчас думаю, что ей нужна помощь. Ваша помощь, Борис. А еще мне показалось, что она словно боится вас. Любит и одновременно боится. Господи, прямо не знаю, что делать... Знаете. Почему она может вас бояться?

— Почему? — простонал он.

— Возможно, без вашего разрешения она взяла у этого человека деньги... Не знаю, какую точно сумму, но взяла. Часть одолжила мне, чтобы я выкупила свою часть квартиры.

— Боже! Что вы такое говорите! — Борис вскочил и принялся вышагивать по кабинету, то и дело натыкаясь на стены. Шаги были широкими, кабинет — тесным. — Нет, это просто бред! Она одолжила вам денег на квартиру? Да у нее на шпильки-то никогда не было. Мы очень скромно живем!

Он сжал свои кулачищи, словно в досаде желая удушить ту нищету и убогость, в которой жила его семья.

— Значит, вам кто-то принес деньги, я имею в виду, взятку, но это лишь мои предположения, а Надя, ничего не зная, просто взяла. Быть может, это был сверток или пакет, или вообще нечто с виду безобидное типа коробки с тортом, в которой и были деньги. Вот почему она решила исправить ситуацию сама, своими силами, не рассказывая вам об этом... Но, повторяю, это лишь мои предположения, моя фантазия. Просто я не в лесу же живу, смотрю и новости, и фильмы... Откуда еще в семье следователя прокуратуры могут оказаться такие деньжищи?

— Что, прямо такие большие?!

— Очень. Когда Надя была в душе, я открыла сумку...

— Стоп. А вот теперь подробнее. Какая сумка? Спортивная?

— Да. Такая, вытянутая... Там еще надпись на английском, слово я не запомнила, но начинается на «S». Как доллар.

— И что вы видели в этой сумке?

— Там ее вещи. А под ними — пачки евро.

Все сошлось. Два дня назад, утром к ним в дверь позвонил человек с внешностью Кощея Бессмертного, если верить описанию соседки, и передал Наде сумку. А в сумке, выходит, были деньги. Большие.

— А телефон? — вдруг вспомнил он. — Она оставила вам свой номер?

— Нет. Но у нее новый номер, я сама покупала ей сим-карту.

— Но если вы покупали ей сим-карту, то должны были узнать и номер! Там же есть такая карточка...

— Я ее выбросила.

— О... Но вы же можете сходить туда, где покупали эту сим-карту, и выяснить номер?

— Думаю, да.

— И то хорошо... Сделаете?

— Конечно!

— Катя, а хотите чаю? — Ему хотелось задержать ее, чтобы выпытать все-все. Ведь она была первой за эти два безумных дня, полных мучительного неведения, кто видел Надю живой и здоровой. Может, она запомнила какую-нибудь деталь, слово, адрес?!

— Ну хорошо... Можно и чаю.

Он, угощая ее чаем с печеньем, продолжал задавать вопросы. Пока не услышал то, что хотел.

— Она искала этого человека и обратилась к частному детективу.

— Фамилия? Пожалуйста, вспомните!

— Нет, фамилию я не знаю, а вот телефон она записала на листке, да только я его не взяла.

Борис свозил ее домой, она нашла листок, там был не только номер, но и фамилия детектива. Борис попросил Катю никуда не уезжать, быть на связи и в случае, если будут новости о Наде, немедленно сообщить ему. «Большие деньги пахнут кровью, Катя, вы понимаете?!»

Частным детективом, которому звонила Надя, оказался хороший знакомый Бориса, бывший оперативник, Валя Мишин. Борис отправился к нему, нашел его в маленьком, но уютном офисе, в полуподвальном помещении, зато в самом сердце города, рядом с районными судом и прокуратурой.

— Боря?! Вот так встреча! — Валентин, небольшого роста, лысоватый, полненький человечек, поднялся со своего большого старинного кожаного кресла, купленного явно в салоне подержанной мебели из Голландии или же доставшегося ему от прежних хозяев, и с видимым удовольствием пожал Борису руку. — Какими судьбами?

Он слушал Бориса молча и внимательно.

— Но я не могу тебе рассказать, зачем твоя жена ко мне приходила... Она — моя клиентка!

— Да ее сейчас где-нибудь режут на кусочки, твою клиентку и мою жену, мать моих пацанов, пока ты здесь изображаешь из себя профессионального сыщика!

— Да ладно... В сущности, ничего такого страшного не произошло... Она и просила меня всего-то найти адрес одного человека!

Борис неожиданно вскочил, схватил со стола цветную миниатюрную пачку бумаги для заметок, оторвал верхнюю, оранжевую и ручкой черкнул одну лишь фамилию: «Бузыгин», завершив ее нервным и кривым вопросительным знаком. Показал Мишину, чуть ли не припечатав к его лицу:

— Он?

Валя кивнул.

— Проклятье!!! Так я и думал!!! А она тебе ничего не объясняла?

— Нет, — развел руками Валентин. — Просто попросила меня его найти. Да я и не знал, друг, что она твоя жена. Очень красивая, эффектная такая молодая женщина. И деньги у нее есть, она расплачивалась со мной евро. Я вообще принял ее за богатую тетку. А Бузыгин-то этот... откинулся в прошлом году. Его отпустили!

Борис не мог рассказать Мишину, какое место в жизни его жены занимал этот уголовник, убийца. Просто было стыдно. Да и какой смысл был ему что-либо рассказывать, если и так все было ясно — его жена, его Наденька, получив от какого-то таинственного незнакомца с уголовной физиономией кучу денег, принялась активно искать своего любовника. То есть, окажись у нее эти деньги раньше, она тогда бы и начала его искать. Но откуда вдруг эти деньги? Евро...

— Валя, она правда ничего не рассказывала о своих планах, зачем ей этот Бузыгин?

— Нет, не рассказывала.

— Как она выглядела? Была ли радостной, возбужденной или...

— Она была растеряна, очень сильно нервничала и, когда сидела вот за этим столом, принялась укладывать все мои бумаги стопками, карандаши, ручки сложила все вместе, аккуратно так вставила в стаканчик... И делала все это как бы на автопилоте, механически, автоматически, не знаю, как правильно выразиться... Думаю, если бы она задержалась здесь подольше, то вымыла бы полы, а то и крыльцо подмела бы...

— Это нервное, — кивнул головой потрясенный Борис. Нет, он и так верил, что у Мишина побывала именно Надя, но когда он начал рассказывать о ее болезненном стремлении навести порядок повсюду, ему стало как-то нехорошо. Даже затошнило. Как если бы кто-то чужой, посторонний подсмотрел сцену из интимной жизни супругов Гладышевых.

— Я так и понял! — улыбнулся одними губами Валентин. — Скажи, что еще я могу для тебя сделать?

— Найти ее! Правда денег, чтобы тебе платить, у меня нет...

— Все шутишь?

— Насчет чего? Денег?

— Нет, что ты просишь меня найти твою жену? Ты же сам кого хочешь можешь найти!

— Значит, не могу. Ладно, Валя, спасибо, я пойду. Есть у мня одна зацепочка... Моя соседка видела, кто приходил к ней, очень яркая личность, высокий худой мужик уголовного вида, она назвала его даже Кощеем Бессмертным. Если вспомнишь кого с такой рожей, позвони.

— Не вопрос!

Мужчины пожали друг другу руки, и Борис вышел на свежий воздух. Глотнул морозца, закашлялся. Холодно.

У него было еще два дела. Надо было кое-кого навестить, допросить, поработать с документами. И вот в конце рабочего дня, когда он, уставший, с кислой миной сидел за своим столом и постанывал от тяжелой головной боли, вызванной невеселыми мыслями о сбежавшей жене, позвонил его коллега.

Сообщил, что в криминальной сводке прошла информация об убийстве нынешним утром в поезде, следовавшем маршрутом Саратов — Адлер, известного в Саратове бизнесмена, восьмидесятидевятилетнего Гольдмана. Его жена, с которой он заключил брак всего несколько дней назад, двадцатилетняя Евгения Борисовна Гольдман, в девичестве Дунаева, сбежала с деньгами и драгоценностями мужа. Свидетельницей по этому делу была Надежда Сергеевна Гладышева, соседка по вагону Гольдманов.

— Толя, вот спасибо тебе! — заорал в трубку Борис. — Это просто невероятно! Не знаю, что еще тебе сказать... Да-да, конечно, теперь я хотя бы знаю, где ее искать! Адлер, Сочи... Я твой должник, Толя!

Мысли завертелись. Должна же она где-нибудь остановиться, в гостинице... Хотя если она не хочет, чтобы он ее нашел, то она снимет комнату или квартиру. Или, что еще хуже, они снимут. Или он ее уже где-нибудь ждет. Если разбогател, то снял роскошный номер в тихом зимой отеле, где им накроют стол, зажгут свечи... Надя войдет, скинет с себя шубку, потом и все остальное, в номере будет тепло, эта сволочь Бузыгин усадит ее к себе на колени, будет целовать ее распущенные золотые волосы, говорить ласковые слова, целовать ее...

Фарфоровая пепельница полетела и разбилась вдребезги о стену! Следом были сметены со стола стакан, ручки, папки с документами... Борис с трясущимися от ярости руками достал из ящика письменного стола припрятанную для особых случаев пачку сигарет «Лаки Страйк». Закурил.

Так. Надо успокоиться, сосредоточиться и понять, почему именно Саратов – Адлер. Если теперь уже точно известно, что она искала Бузыгина, то почему юг? Может, он родом оттуда? Надо бы поднять его дело, поизучать, может, и найдется упоминание Сочи или Адлера? Хотя и так все ясно. На курорт они рванули, голубчики. Там сейчас тихо, спокойно, можно с комфортом и весело провести свой медовый месяц. Сколько не виделись, любовнички? Непонятно только, почему он раньше не объявился? Сразу после того, как освободился? Хотя... А кто сказал, что он не объявился? Что они не виделись?

Может, вот как раз в те минуты, когда он подсматривал за женой, танцующей, позирующей перед зеркалом или просто играющей со своими огненными волосами, она и думала, мечтала о своем Бузыгине? Представляла, как будто бы это он накручивает на пальцы ее кудри?

Так захотелось выпить, забыться...

Сочи. Может, у него с документами не все в порядке, потому отложили поездку за границу, отсюда и Сочи.

Но деньги у нее откуда? Он прислал? Вернее, передал через своего человека с лицом Кощея. В сумке точно были деньги, иначе откуда им взяться?

Сумку она взяла, дома открыла, увидела деньги, записку от своего любимого, где он просил ее взять билет и рвануть на юга к нему, быстро собрала детей и отправила к матери.

Только вот непонятно, зачем ей было заезжать к Кате? Ну, землячка, и что? Почему сразу не поехала в Сочи? Может, ждала звонка? Или он должен был сам за ней заехать? Но Катя ничего об этом не знает. Или знает? Да нет...

Катя. Еще одна дурочка. Нет, бабам вообще нельзя доверять. Надя дала ей денег на квартиру, а она, подружка, значит, вместо того чтобы молиться на нее, благодаря в душе за столь щедрый подарок, пришла и сдала ее. И кому? Мужу, который ищет ее! Хотя, может, и правда испугалась за подругу? Так-то она ничего, Катя. Скромная, видно, что не городская, не распущенная. И школьницей вряд ли спуталась бы с таким, как Бузыгин.

Борис встал и принялся подбирать с пола все, что сгоряча расшвырял. Бумаги аккуратно сложил в стопку, карандаши, один к одному, в карандашницу... И вдруг ему показалось, что это не он, а Надя прибирается на его столе... Он тряхнул головой. Глухо, по-звериному зарычал.

Вот так люди и сходят с ума.

Надо бы, конечно, ехать домой, к маме, к детям, но уж слишком тяжелый груз на душе. Не выдержит, все расскажет матери, та расстроится. Она же любит Надю, вон, как защищает!

Куда пойти? С кем выпить, чтобы не расклеиться, не показать свою слабость?

Решение пришло само. Неожиданно. Он и сам удивился этой своей решительности и даже дерзости!

Прибрался в кабинете, распахнул окно, чтобы выветрить хотя бы часть своей беды, затем закрыл окно, запер сейф с документами, оделся и вышел.

В машине стало как-то совсем уж тошно. Еще недавно он вот так же сидел в машине, на заднем сиденье которой лежала коробка из кондитерской. «Мадам Мегрэ, ваши любимые берлинские пирожные!» Примерно такую фразу он заготовил для своей Наденьки. Но мадам Мегрэ была верной женой, в отличие от Нади Юфиной. Именно Юфиной. Она так и не стала Гладышевой. Просто играла роль его жены, а на самом деле все эти годы ждала своего Бузыгина...

Он довольно долго искал нужный адрес, а когда нашел, уже и не знал, стоит ли туда ехать или нет.

Он сидел в машине, не чувствуя своего тела. Вообще ничего не чувствуя, кроме душевной боли. Уж лучше бы руки-ноги отрезали, и то не так болело бы.

Борис позвонил. Послышались легкие шаги, затем тишина, она смотрит в глазок, удивляется, спрашивает себя: он или не он?

— Это я, Катя, откройте, пожалуйста.

8. Лера. Станция Сенная, 2014 г.

— Родя, да лежи ты уже спокойно, не поворачивай голову, не то свернешь себе шею... Огонь. Ну и что, что огонь? Не смотри на него. Без огня как? Все-таки банки. Зато потом кашлять перестанешь...

Лера ставила банки Чащину, но мысли ее были далеко. Где Надя? Что на этот раз? И почему она не позвонила своему единственному близкому, как ей казалось, человеку — бабушке? А может, стряслось чего? И детей оставила! Нет бы сюда привезти, все рассказать!

Вот любила бы своего Гладышева — не скрытничала бы так. И если бы случилось что серьезное, рассказала бы ему, все-таки муж не простой человек, следователь прокуратуры, у него и возможности, и связи. Вот куда ее унесло? Снова кровь взыграла, влюбилась в кого, как тогда?

Она до сих пор не могла поверить, что Надя так легко выкарабкалась из той жуткой истории с убийствами. Вся Сенная тогда шумела, знакомые никак понять не могли, как это угораздило совсем еще девчонку влипнуть в такое серьезное дело? И как только этот Бузыгин ее саму не порешил? И откуда он вообще взялся?

А уж как Лера поволновалась тогда, не знала, как людям в глаза смотреть, особенно родным и близким Ларисы Пономаревой, продавщицы из станционного ларька, да Кротовым. Хорошо, что Валера Кротов выжил, а ведь нож вошел по самую рукоять в живот...

Лера, как могла, убеждала знакомых, что внучка ее — жертва, что она на поезд с Бузыгиным села под страхом смерти, что он нож у ее горла держал... А что было делать? Сказать правду, что Наденька ее, закусив удила, помчалась в даль туманную, кровавую, в обнимку с убийцей? Что она влюбилась по уши, что упырю невинность свою подарила? Счастье еще, что не забеременела от бандита, хотя все в Сенной еще долго приглядывались, не располнела ли Надя, не появился ли живот! Но Бог миловал.

Да и Гладышева этого Лера сразу невзлюбила за то, что он взял Надю, как приз, как подарок за проделанную работу, что женился на ней, когда она толком не понимала, что вообще происходит, когда внушила себе, что теперь, когда он ее спас от тюрьмы, она просто должна выйти за него замуж. А зачем ей было это замужество? Чтобы очиститься от грязных сплетен и от всей этой истории? Ей бы в университет поступать, учиться, профессию получить, она же смышленая, умная, способная. Так он ей детей заделал, посадил дома, как курицу, и запер: туда не ходи, сюда не ходи, звони, докладывай, куда отправилась. Уж если не верит ей, зачем тогда жениться? Если не простил, так и оставил бы ее в покое. Влюбился он, видите ли. Квартира в областном центре, это, конечно, хорошо, да только из долгов никак не выберутся. То мебель надо было покупать, то стиральную машину, то одно, то другое. Он, может, и не догадывается, что Лера внучке постоянно деньги присылает, в посылку с продуктами конверт вкладывает. Да Родион своими «медовыми» деньгами Наде больше помогает, чем муж родной.

Не такого мужа хотела Лера своей внучке. Богатого, солидного, чтобы на руках носил, чтобы развиваться дал, чтобы на курорты заграничные отправлял, чтобы любил, но давал ей свободу. Она же, бедняжка, как птица в клетке. И ладно бы клетка была золотая, а так — нищета, бедность. Да если бы она выучилась и работала, уж побольше Гладышева своего зарабатывала.

— ...Да ничего не обожгла! Ну, задумалась! Родя, говорю тебе, лежи спокойно... Если мало держать фитиль в банке, не присосется! Ладно, все! Она задула огонь на обмотанном проспиртованной ваткой пинцете, и в спальне сладко запахло дымком. — Вот укрою тебя сейчас, и лежи минут пятнадцать. Тянет? Кожу на спине тянет? Вот и хорошо! Сейчас всю болезнь из тебя вытянем. А ты, Родя, в следующий раз думай, когда с мужиками на рыбалку отправишься. Уж лучше бы водки хлебнул, чем мерзнуть возле проруби.

Она укрыла Чащина одеялом, посмотрела на часы, засекая время, и вышла из спальни.

Вот бы сейчас раздался стук, и приехала Надя! Вот это был бы настоящий праздник!

И тотчас услышала стук. От удивления опустилась на стул. За окном, за обледеневшим стеклом проглядывала темень.

Неужели Надя?

Лера, набросив на плечи пуховый платок, пошла открывать.

Пришел участковый, Петр Дементьевич Шубин. Что ж, тоже неплохо. Тем более что она ему порученьице давала. Обещала отблагодарить.

— Входи, Дементьевич! — Она впустила краснощекого с мороза, крепкого мужчину в меховом тулупе и шапке-ушанке. В гражданском пришел, значит, можно будет угостить. — Да ты не разувайся, обмахнул валенки веником — и довольно! Кругом снег — чистота природная!

— Здорово, Лера. Рад тебя видеть, — он вошел, снял шапку, под которой смялись темные с проседью волосы. Веселые карие глаза смотрели очень уж смело. — Какая же ты красивая баба, Лера!

— Ты дурак, что ли, Петя, — шикнула на него Лера, кивая головой в сторону спальни. — Родя же там...

— Ну, извини... Просто, как смотрю на тебя, так мысли сами путаются, как нитки... — он хохотнул. — Чего платком все закрыла? Всю красоту!

Лера скинула платок, осталась в облегающей черной в белую крапинку летней блузке с вырезом. Кожа на шее и груди была розовой, гладкой, словно время забыло отметить ее, состарить.

— Ну, время тебя точно не берет, не то что мою Тоньку. Сморщилась вся, скукожилась...

— Ты брось плохо об Антонине говорить. Она хорошая баба и любит тебя. Просто все мы разные, у нее одна конституция, у меня — другая!

— Да какая еще конституция, ты что, Лера, говоришь-то?

— Ладно, садись. Грибочков попробуешь?

— А то! Зови своего Родиона, вместе выпьем.

— Да не может он, еще минут пятнадцать должен лежать, банки я ему поставила.

Лера достала банку с солеными груздями из холодильника, порезала, уложила в миску, засыпала луком, полила маслом. Курицу вареную разорвала на куски, поставила перед участковым. Бутылку перцовки, три рюмки.

— Ну, давай рассказывай. Вижу, что не с пустыми руками ты пришел. Нашел его?

— Да нашел-нашел, — Шубин разлил перцов-
ку по двум рюмкам, одну протянул Лере. — Давай,
пока твой Родион там с банками, за компанию со
мной выпьешь. Значит, так. Виталий Бузыгин вот
уже год как на свободе.

Лера закрыла глаза, вздохнула. Значит, точно
Надя с ним встретилась!

— А чего тебе этот Бузыгин-то дался? Уж все
быльем поросло! Надька твоя замужем за Гладышевым... Или?

— Я же говорила тебе — сон мне приснился.
Будто бы Бузыгин объявился. Страшный такой, с
ножом в руках...

— А ты не бойся его.

— В смысле?

— Да никуда он не явится.

— Это еще почему?

— Да понимаешь ты... Тут такая картина выри-
совывается. — Шубин подцепил вилкой груздь и
отправил в рот. Закатил глаза от удовольствия. —
Ум отъешь!

— Петь, давай уже, рассказывай.

— Да я вот и говорю. Вроде отсидел он свой
срок, выпустили его досрочно, хотя он и там уму-
дрился подрезать одного сокамерника... Вышел.
Ну, я с тем к тебе и шел. Думаю, все расскажу, как
есть. А тут вдруг меня неожиданно в Вольск вы-
зывают, руководство, словом, — дела. Я и поехал,
это было вчера. Но до вечера не управился, решил
заночевать в гостинице. Нет, меня мой дружбан
звал, конечно, к нему домой, но туда как попа-
дешь — так три дня отдай! У него своя банька, а

жена так всегда встречает, так готовит... Лера, не смотри на меня так, ты все равно лучше готовишь! Словом, у меня же и здесь своих дел полно, вот и решил я переночевать в гостинице, чтобы никаких пьянок, бань и утречком — домой. Думаю, приму душ и отосплюсь! Меня и повезли уже в гостиницу, у них там, в самом центре, такая старая, неплохая... А водитель ихний говорит, смотри, новая гостиница, «Максим» называется. И показывает мне на особнячок такой модный, наподобие виллы. Спрашиваю: дорого? Нет, отвечает. Цены нормальные. Только там в номерах джакузи и бар отменный. Ну я и согласился. Захожу — на самом деле все так прилично, пристойно...

— Петя, ты чего это вздумал мне рассказывать о своих гулянках в Вольске?

— Да ты что такое говоришь?! — зашипел на нее Шубин. — Какие гулянки? Я все к чему веду-то? Максим Перов, это имя тебе ни о чем не говорит?

— Ну, знала я одного Максима Перова, он же наш, местный. Потом он уехал на заработки, куда-то на Север.

— Вот именно! Это и есть как раз наш Максим. И эта гостиница — его! А я стою на ресепшен, оформляюсь, и тут чувствую — на меня кто-то смотрит. Поворачиваюсь, стоит мужик молодой, улыбается. «Что, Дементьевич, — говорит, — не узнаешь?» — «Макс?» — спрашиваю. «Да, я». Ну, он пригласил меня в бар и так угостил... так угостил, мама не горюй! Мы с ним долго говорили. Всех наших вспомнили, он и про Надю твою спросил, и тут до меня дошло: а ведь Надька-то твоя с Бузыгиным познакомилась как раз на свадьбе этого Макса.

— Точно! — оживилась Лера и уж сама плеснула себе и гостю перцовочки. — И?..

— Понимаешь, мне Макса словно сам Бог послал! С кем бы я еще так хорошо про этого Виталия поговорил? Он же сразу после этого случая и уехал на свой Север. Может, испугался, а может, просто так совпало.

— Не томи уже, Петя!

В стену постучали.

— Господи, да это же Родя! Совсем заговорилась тут с тобой!

Лера вскочила и бросилась в спальню. Откинула одеяло и принялась отлеплять банки от спины Родиона. Все делала молча, в ожидании его упреков. И вдруг услышала:

— А знаешь, ничего так, даже приятно... ты мне сухим полотенцем потри те места, где банки были...

Лера, обрадовавшись, что Родя на нее не сердится, успокоилась. Надо же, совсем забыла про мужика! И все из-за Дементьевича, тянет кота за хвост, не может сразу взять и все рассказать. И выпить ему подай, и закусить, и на грудь ему, видите ли, хочется посмотреть. Нахальный страшно! Знает, что они с Родей живут душа в душу, а все так и норовит признаться в своих чувствах и, главное, в желаниях. Хотя, с другой стороны, приятно, когда мужчина обращает на тебя внимание, пусть даже и таким грубоватым, вульгарным способом.

— Петя у нас, — сказала она, подавая Родиону фланелевую рубашку и штаны. — Он ждет тебя, составишь ему компанию?

— Почему бы и нет? Тем более что я и отсюда его голос слышал. Ворковали с ним, как голубки, — по-доброму усмехнулся Родион. — Ладно-ладно, я не ревную. Знаю я его, не может мимо женщины пройти...

— Он мне как раз что-то важное собирался рассказать о Максиме Перове, помнишь такого? У него на свадьбе Наденька моя с этим иродом Бузыгиным познакомилась.

— Понятно...

— О, Родион! Рад тебя видеть! — Петр Дементьевич встал ему навстречу. Щеки его раскраснелись, губы жирно блестели. — Ты уж извиняй, что тебя не дождался, уж больно замерз, на улице-то какой мороз!

— И я рад тебя видеть, Петя.

Лера суетилась, ухаживая за Родионом. Поставила перед ним прибор, рюмочку.

— Картошку будешь, Родя?

— Все буду. Так что там про Макса-то?

— А... Ты уже в курсе. Понятно. Как что? Все же думали, что Бузыгин в тюрьме все эти годы сидел, а он, кажется, помер еще тогда, в 2001-м...

— Как это? — Лера опустилась на стул. — Ты же сам сказал, что его в прошлом году выпустили...

— Значит, это его однофамилец. Или же Перов что-то путает. Но он так уверенно это сказал, удивился еще, что мне об этом ничего не известно.

— Может, надо проверить? — спросила Лера. — Чего ему умирать-то, вроде молодой совсем был...

— Я проверю, проверю, — сказал Петр.

— А что Надя? Что-нибудь узнали? — спросил Родион. — Лера не успела его предупредить, чтобы он никому не рассказывал про ее исчезновение.

— А что Надя? С ней все в порядке! — поспешила уверить Петра Лера, глазами стреляя в проговорившегося Родиона.

Петр Дементьевич замер с вилкой в руке. Мясистый сочный кусок груздя соскользнул в тарелку.

— Лера, ты не темни... Что опять с Надей? Ты думаешь, я ничего не понял и начал заниматься твоим вопросом только лишь из-за твоего дурного сна о Бузыгине? Ты же серьезная женщина...

— Да пропала она! — выпалила Лера, прикрыв рот рукой, словно слова вылетели против ее воли.

— Я думал, ты знаешь, — нахмурился Родион, протягивая ему рюмку, чтобы чокнуться.

— Вот елы-палы! И когда она пропала?

— Два дня уже!

И Лера, всхлипнув, рассказала ему все, что знала об исчезновении внучки.

— И ты подумала, что она снова с Бузыгиным? — покачал головой участковый.

— Ну да! Только ты, пожалуйста, никому ничего не говори. Мы ведь ничего не знаем... Просто я предположила. Понимаешь, Надя сейчас замужем, у нее маленькие дети, ну не могла она вот так взять и бросить все и всех! Значит, или что-то серьезное произошло, или же она снова... потеряла голову... Уф, не знаю уже, что и думать!

— Но если верить Перову, то Бузыгина нет в живых!

— Ты же сам говоришь, что надо проверить. Петя, проверь! Если его, как ты говоришь, нет в живых, значит, еще хуже... Может, с ней действительно случилось что-то ужасное... Борис-то ее, сам знаешь, следователь, может, ее похитили?

И Лера с чувством перекрестилась.

9. Надя. Лазаревское, 2014 г.

Уж как не хотела она, чтобы ее связали с делом о смерти старика Гольдмана, все равно расспрашивали, записали ее в свидетели и, пока поезд ехал до Адлера, просто замучили вопросами: кто ехал в соседнем купе? Кого она видела? Что заметила? Не знакома ли была с Гольдманами?

Главным было вести себя естественно. Показать, что она в шоке, что напугана, — все-таки труп за стенкой. Да, она видела молодую женщину, но та выглядела спокойной и своим поведением не вызывала подозрений. Если удавалось, Надя сама пыталась задавать вопросы, делала вид, что она имела на это полное право: ведь она ехала в вагоне, где, предположительно, было совершено убийство. Тема убийства была основной, иначе, если он умер естественной смертью, зачем было его жене исчезать?

Насторожил полицейских и резкий запах чеснока в купе с мертвецом, предположили, что старый еврей был отравлен котлетами, в которые намеренно положили много чеснока. К тому же, что не менее важно, в багаже не обнаружили денег, а это указывало на то, что жена сбежала с ними.

Надя, чтобы сбить с толку полицейских, высказала предположение, что сбежавшая Евгения Гольдман — дочка или даже внучка старика. Но из разговора поняла, что представители железнодорожной полиции связались с саратовской полицией и пробили Женю. Жена. Очень молодая.

Мужики в форме успели даже высказаться на этот счет, осудили ее, почти приговорили, решив, что она убийца. Значит, правильно Женя решила сбежать. Уж если чужие думают о ней как о корыстной девице, преступнице, то что уж говорить о тех, кто явился бы на похороны уже дома, в Саратове. Да они бы заклеймили ее позором, повесили бы на нее всех собак! И даже если бы она сама, по своей воле отказалась от своей доли наследства, всему миру представили бы это таким образом, словно этот факт явился результатом судебного разбирательства, не иначе. Вываляли бы имя Жени в грязи, выгнали бы из дома с позором.

Думать как-то иначе просто не получалось. Надя и сама словно видела эти похороны. Нет-нет, Женя правильно сделала! К тому же Женя сама, своими словами и поступками убедила Надю в том, что ей не нужны деньги мужа, что она сбежала с целью найти покой, возможно, начать новую жизнь.

Тело Гольдмана вынесли из купе на носилках и, скорее всего, определили в багажный вагон. Проводница целый час прибиралась в купе, проветривала его, собрала всю постель и унесла. И больше уже туда никого не заселяла.

Надю же, подписавшую свидетельские показания, очень скоро оставили в покое, и весь оставшийся путь до Лазаревского она ехала одна.

Чтобы не думать о том, что произошло в ее жизни и какие ее могут ожидать последствия, Наде проще было думать о Жене.

Как они и договаривались, Женя налегке отправилась в вагон-ресторан и вышла на станции Зимовники, добежала до своего вагона, увидела в окне Надю, но никаких знаков подавать не стала, просто медленно шла вдоль перрона, чтобы не привлекать к себе внимание пассажиров, которые могли бы ее запомнить. Надя же, с трудом опустив тяжелое окно, вытолкала в открывшуюся оконную щель ее сумку и даже увидела, как Женя наклоняется, чтобы ее поднять.

Конечно, все это могло быть неправдой. И Женя могла быть убийцей. В сущности, что она о ней знала? Ничего! Но тогда зачем ей было заходить, знакомиться и рассказывать всю эту историю? Тем более что она сказала чистую правду: Гольдман действительно был ее мужем. К тому же она сама предлагала Наде деньги на сохранение, дала ей нужные адреса и номера телефонов, в частности своих родителей. Нет, не похожа она на авантюристку, на обманщицу и тем более на убийцу.

Думая так о Жене, Надя горько улыбнулась. А Бузыгин? Он что, был похож на убийцу? А ведь убил продавщицу прямо на ее глазах! Легко, словно у нее была не голова, а орех! Значит, для него смерть человека ничего не значит. Он просто добивался своих целей, убивая людей, грабя, избивая и обманывая таких вот дурочек, как она.

Вот только непонятно, зачем он взял ее с собой в поезд? Ведь Надя была настоящим живым свидетелем убийства Ларисы Пономаревой. Преступники обычно в таких случаях убирают свидетелей. Так почему же Виталий не убил ее, а взял с собой? Неужели на самом деле душа его пела рядом с ней, неужели это была любовь? Ведь он был с ней так нежен, такие слова ей говорил, такое золотое будущее рисовал...

Когда-нибудь, и, быть может, уже скоро, она задаст ему этот вопрос. Хотя... И на нее снова нахлынуло странное и теплое, как предчувствие близкого счастья, ощущение нереальности происходящего — в ее сумке лежит почти миллион евро!!! Разве этот подарок со стороны Виталия не является доказательством его любви к ней? К девочке со станции Сенная, с которой он провел всего несколько дней в заснеженном поселке, в чужом доме, украшенном свечами и живыми цветами?! Неужели он такой романтик? А может, все преступники в какой-то мере романтики?

...Надя вышла на станции Лазаревская примерно в десять часов, и солнце, ярким холодным светом заставляющее сверкать слой легкого снега на перроне, крышах домов и даже на все еще зеленых остролистных лапах пальм, заставило ее зажмуриться.

Ну вот он, юг. Даже в январе все равно как-то по-весеннему тепло, уютно, и даже люди одеты не по-зимнему, а в курточках, многие прохожие без головных уборов.

Надя шла легким шагом по направлению к знакомой еще с прошлых лет гостинице «Шторм». Она тоже, подражая местным жителям, не надела берет, и теперь ее волосы, распущенные по плечам, дышащие свежим воздухом, сверкали на солнце красным золотом, заставляя людей оборачиваться.

Она и вспомнить не могла, когда еще чувствовала себя такой свободной и легкой. Голова слегка кружилась, но оно и понятно — за всеми волнениями она забыла поесть, только и делала, что пила чай с лимоном.

Зарегистрировавшись в гостинице по паспорту девушки Милы с ресепшен (за что Надя выложила кругленькую сумму, вложив рулончик в ее теплую ладошку) и получив ключи, она оставила ей же записку с одним-единственным словом, фамилией Гольдман.

— Мила, если меня спросит девушка, Евгения Гольдман, пожалуйста, сообщите мне, я спущусь. Это очень важно.

Сказала, хотя с каждой минутой ей становилось все яснее, что никакой Жени Гольдман она больше не увидит. Женя, как воздушный шарик, наполненный гелием, вырвавшись из рук, взмыл вверх... Такие шарики не возвращаются. Что ж, это ее судьба. У Нади и без нее много проблем.

— Все сделаем, — сказала, сияя от радости, девушка Мила Гуревич. Судя по всему, такие процедуры были неотъемлемой частью гостиничного бизнеса, который предполагал в некоторых особых случаях полную конфиденциальность. Мало ли какие пары приезжают сюда отдохнуть, не всех же надо регистрировать под своими именами. Что же касается вознаграждения, даже поделившись с начальством, Мила не останется внакладе.

Проходя к лифту мимо зеркальной стены, Надя бросила взгляд на свое отражение: обыкновенная девушка в курточке и джинсах, со спортивной сумкой на плече. И кому придет в голову, что она — миллионерша!

Только оставшись в номере, в тишине, совсем одна, она наконец могла расслабиться и отдохнуть.

Набрала в ванну горячей воды, разделась и легла, погрузившись в тепло по самые уши. Закрыла глаза.

Нет, это не с ней происходит. Она не могла так поступить. Как там ее мальчики? Что свекровь и Борис сказали им, где их мама? Уехала и скоро вернется?

А что думают о ней свекровь и муж? Какие строят предположения? Можно только представить себе их разговоры. Да они там сходят с ума... Скорее всего, подняли на уши всю полицию!

Что, что она наделала? Ведь хотела как лучше, и что в итоге получилось? Еще и в криминальную, по мнению полиции, историю с Гольдманами влипла. Засветилась как свидетель... А что, если Женя на самом деле убила мужа, а перед Надей талантливо разыграла сцену, изображая из себя жертву насилия со стороны мужа, дряхлого, дурно пахнущего старика с черными ягодицами?

Когда Надя услышала слабый звук телефона, доносящийся из комнаты, то за несколько мгновений выскочила из ванны и успела схватить его мокрой рукой. Сердце ее билось где-то в желудке.

Кто это может быть? Только Катя... Или?

Но не послушать ее она не могла, мало ли что случилось!

Да, это точно она, решила Надя, хотя видела на дисплее незнакомый номер. Да и откуда ей знать Катин номер, если она с ней ни разу не разговаривала? Однако, учитывая ситуацию, неплохо было бы его выучить наизусть.

Надя ослабевшей от волнения рукой открыла телефон, желая сначала услышать голос звонившего человека.

— Надя?

Точно, это была Катя.

— Да, Катя, это я. Что случилось?

— Где ты?

— Зачем это тебе?

— Надя, пожалуйста, не думай, что я предательница, но я все рассказала Борису...

— Что-о-о??? Что ты сказала?

— Подожди, не торопись... Я сделала это не потому, что я такая сволочь... Надя, дорогая, я не предательница, но я предала бы тебя, если бы так не поступила. Мы переживаем за тебя...

— Кто это — мы?! — вскричала Надя, сжимая кулаки от досады и злости.

— Ты же ничего толком не объяснила, ты просто уехала, и все! Но у тебя здесь семья, дети, у тебя муж... Понимаешь, ты так помогла мне, а я, я... Я испугалась за тебя... Я хочу, чтобы и у тебя было все хорошо, чтобы ты вернулась к нормальной жизни!

Катя говорила быстро, взволнованно, почти плакала.

Надя слушала ее, чувствуя, как ноги ее слабеют. Ну что за дура?! Кто ее просил?!

— Катя, подожди... Да постой ты, дай мне сказать!!! Ответь мне спокойно: зачем тебе это надо? Я же помогла тебе, а ты, выходит, выдала меня... Вот взяла и выдала!

— Я же объясняю тебе, почему я так сделала. Ты вернула меня к жизни, а сама попала в какую-то нехорошую историю, и тебя могут убить!!! Я должна была спасти тебя!

— Да с чего ты взяла, что меня нужно спасать?!

— Я видела деньги... В сумке... Ты пойми, мне было любопытно... откуда у тебя столько денег. Я предположила, что это криминальные деньги, что ты в руках бандитов! К тому же ты пряталась, бросила детей, ты вела себя так, словно тебя кто-то заставляет это делать, ты вела себя неестественно! Я даже подумала: уж не загипнотизировал ли тебя кто-нибудь?! Когда ты сказала мне, что твой муж, Борис, будет тебя искать, то я сразу же представила себе, о чем он подумает в первую очередь. О любовнике, Надя! Но я-то знаю, что у тебя никакого любовника нет и что ты отправилась в неизвестном направлении только из-за твоего мужа, потому что он следователь... Быть может даже, ты спасаешь именно его!

— Катя, — простонала убитая звонком Надя. — Ну как же ты могла так поступить? Я же доверилась тебе!

— Я тебе все объяснила! Скажи, где ты, и он приедет за тобой! Он спасет тебя! Ты бы видела, как он страдает!

— Стоп... А ты откуда это знаешь?

— Я была у него. Видела его. Говорила с ним. Он убит горем. У него такое лицо... словно ты умерла.

Еще я подумала, что это судьба... Что правильно, что ты пришла именно ко мне. И правильно то, что мне в голову пришла эта мысль спасти тебя...

Она говорила еще что-то, а Надя, голая, мокрая, стояла перед зеркалом с телефоном в руке, и ей казалось, что спираль ее жизни закручивается уж слишком абсурдно...

Скорее всего, Борис и его коллеги сейчас, пользуясь информацией, полученной от этой дурочки Кати, прослушивают ее телефон, пытаются определить место нахождения Нади.

— Катя? Ты слышишь меня? — оборвала она ее резко.

— Да, да!

— Ты хочешь мне помочь?

— Ну, да, конечно!!!

— Тогда ответь мне честно на мои вопросы. Готова?

— Да, да!

— Скажи, Борис сейчас там, он меня слушает?

— Да ты что?! Нет, конечно! Я дома совершенно одна. Мои так называемые «соседи» уехали. Часть вещей взяли, а часть еще здесь, повсюду коробки, багаж... Господи, прямо не верится, что все позади, что я больше их не увижу и что квартира теперь принадлежит только мне! И все это благодаря тебе!

— Катя! — заорала на нее разъяренная Надя. — Ты можешь мне пообещать, что больше не позвонишь мне?

— В смысле?

— Он же наверняка спросил у тебя номер моего телефона.

— Ну да, но я тогда не знала. А потом, по его совету, я зашла в салон, и мне написали номер на листочке... Мне надо было у тебя его раньше спросить, да я закрутилась со своими квартирными делами...

— Катя, он не отстанет от тебя, и ты дашь ему этот номер. Но сим-карту я сейчас уничтожу, поняла?

— Как? Зачем?

— Послушай меня внимательно! Я помогла тебе?

— Ну, да, конечно, о чем ты говоришь?!

— А теперь ты помоги мне.

— Хорошо. Я слушаю.

— Повторяю: ты сообщишь Борису этот номер, но сим-карту я уничтожу. Прямо сейчас.

— Скажи, ты в опасности?

— Катя, я сбежала от мужа с любовником, поняла? Никакой связи между моим побегом и с его профессией следователя нет!

Катя надолго замолчала. Переваривала услышанное.

— Как же так?
— Об этом ты тоже ему расскажешь?
— Это правда?
— Да. Правда.
— Значит, никакой опасности нет?
— Нет.

— Выходит, я действительно подставила тебя... Боже, какая же я дура!

— Вот и я о том же.

— Прости меня... Но он... твой Борис показался мне таким... порядочным, благородным... Особенно по сравнению с моим Сашкой... Господи, что же я наделала! И что же мне теперь делать? Он же не отстанет от меня, ты права. Он ищет тебя, просто землю роет!

— Сообщишь ему номер этого телефона, и пусть он дальше меня ищет. Я сама разрулю ситуацию, вернусь и все ему расскажу. Дело двух-трех дней. От силы — неделя у меня на это уйдет!

— А деньги? Откуда же у тебя такие деньги?

— Катя, я не думаю, что ты имеешь право задавать мне подобные вопросы...

— Все, я поняла. Ты извини меня. Знаешь, а я успокоилась! Для меня же главное было, чтобы тебя не убили, не пристрелили... Ты права, я действительно не имею права вмешиваться в твою жизнь. И хорошо, что я тебе все-таки позвонила, и ты мне все объяснила. Я не выдам тебя, обещаю.

— И что ты ему скажешь, когда вы с ним встретитесь? А он обязательно тебя вызовет или сам приедет... Я его знаю.

— Дам ему вот этот номер и скажу, что я не знаю, где ты. Тем более что это чистая правда. Ну не будет же он меня пытать каленым железом!

— Вот и умница. А я найду способ с тобой связаться, если мне нужно будет поговорить.

— Ты простишь меня? До меня только сейчас начало доходить, что я натворила...

— Катя, все, я не могу больше говорить. Пока.

Надя отключила телефон, раскрыла его, вытащила сим-карту и разломала ее, спустила кусочки в унитаз. Вернулась в ванну, легла, пустила воду погорячее.

Ну и дура эта Катя!!! Что за люди попадаются ей на пути? И зачем она вообще обратилась к Кате, ведь она ее, по сути, и не знает! Подкупило, что она землячка.

Думая о Борисе, о том, какой могла быть их встреча с Катей, ей стало совсем уж дурно. Что она ему наплела? Рассказала, что видела в сумке деньги, большие? А зачем она сама-то туда залезла? Что за люди? И вот как потом делать людям добро? Удивительно! Надя оставила ей целую пачку денег на покупку квартиры, и Катя приняла это как должное. Можно подумать, что она вернет... Решила поиграть в благородство, спасительница!!!

Она перегрелась, вышла из ванны распаренная и вместо приятной расслабленности получила усталость и вялость. Даже аппетит пропал. Надела пижаму, откинула покрывало с кровати и рухнула, укрывшись одеялом. Все, спать.

Ей снились дети, Борис, свекровь, Катя, все жили в каком-то странном городе, который существует лишь в ее снах, городе, куда проецируются все знакомые улицы и дома, люди и предметы, где она столько раз переживала самые разнообразные чувства от глубокой печали, когда ей приходилось просыпаться в слезах, до сияющей солнечными улыбками окружающих радости. Улицы этого города были то узкими, в зависимости от оригинального сценария Морфея, то широкими, то темными, плавающими в синих или густых янтарных сумерках, то призрачно-утренними, в бледных красках рассвета. Дома в этом городе были чаще всего бледно-желтыми или голубыми, с грубой штукатуркой, старыми, потертыми и с пятнами, и никогда в него не попадали строения современной архитектуры, словно это не соответствовало стилю самих снов.

Вот и в этом сне она шла по узкой улочке, точно зная цель, сворачивала в какие-то мутные переулки, выходила снова на центральную улицу и, путаясь в клочках прозрачного сиреневатого тумана, находила сначала одну дверь, потом другую, видела каких-то знакомых, потом появилось лицо свекрови, которая смотрела как будто бы мимо нее, словно слепыми глазами. И мальчики ее в белых костюмчиках сидели между лестничными пролетами в одном из таких фантастических купеческих домов, на площадке, выложенной выщербленными оранжевыми плитками, сидели на розовом бархатном диванчике, и весь этот сон сильно попахивал «балабановской» эстетикой. И было так же страшно, как в его фильмах.

Целью в этом сне было догнать хотя бы кого-то из ее близких людей, чтобы объяснить что-то важное, чтобы обнять и рассказать о своей любви, но все лица, силуэты расплывались или растворялись, как капли темных чернил в воде...

Еще она запомнила трубочиста, того самого, из сказки, в черном костюмчике со специальной щеткой-ершиком, который ходит по улицам словно специально для того, чтобы приносить людям радость. Заглянул он и в Надин город, улыбнулся ей, подмигнул, вызывая умиление своими выпачканными сажей щеками, а затем где-то высоко над головой зазвучал колокольный звон, странным образом превращаясь в звон часов и далее — в сухой и острый стук...

Надя распахнула глаза. В дверь стучали.

— Да-да. Минутку...

Пока она бежала к двери, пыталась вспомнить, не заказывала ли она обед в номер. Кажется, нет. А может, это полиция?

От этих предположений у нее заболел живот.

— Кто там? — Надя заранее сморщилась, словно ее уже ударили.

— Извините. Вы просили передать, если вас будет спрашивать девушка.

— Что? — Надя распахнула дверь, перед ней стояла девушка с ресепшен, та самая, которой она оставила записку с фамилией Жени. — Она пришла?

— Да, она внизу.

— Вы проверили ее паспорт?

— Конечно! — Девушка захлопала своими густыми накрашенными ресницами.

— Пусть поднимется ко мне. Подождите минутку...

Она бросилась за деньгами, чтобы отблагодарить девушку не столько за услугу, сколько за единственную приятную новость за весь день.

— Спасибо.

Она ушла, а Надя, все еще не верившая в услышанное и воспринимавшая происходящее как продолжение сна, продолжала стоять в пижаме посреди комнаты. Женя Гольдман? Да неужели это возможно?

В дверь нерешительно, тихонько постучали.
— Да-да. Войдите!

Ну, точно! Это была она! Черные глаза стали как будто бы еще больше. Норковая шубка, черная вязаная юбка почти до пят, из-под нее выглядывают черные носки замшевых сапожек. Волосы распущены, на щеках — румянец.

— Женя, как же я рада тебя видеть! — и Надя, поддавшись чувствам, бросилась к девушке, как к родному человеку, и обняла ее.

— А уж я как! — Женя ответила на ее объятия.

— Дай-ка я на тебя посмотрю! — Надя отстранилась от нее и залюбовалась. — Да ты настоящая красавица! Вижу, морской воздух пошел тебе на пользу!

— Дело не в воздухе, а в свободе, — улыбнулась Женя.

— Проходи, раздевайся! Рассказывай, как ты? Нормально добралась?

— Я-то да, это лучше вы мне расскажите, что было потом, после того, как я сошла...

— Давай на «ты», хорошо?

Ею вдруг овладело нестерпимое желание довериться этой девочке. Вот взять и рассказать всю правду. Хотя бы так она услышит мнение другого человека о том, что с ней произошло. Конечно, если она преступница, то пусть сразу забирает все деньги. Они и так натворили бед, все эти пачки евро... Словно отравили душу.

Но что-то подсказывало ей, что Женя, в отличие от Кати, совершенно другой человек и что она не выдаст ее. Или, что немаловажно, составит ей компанию в этом странном, сюрреалистичном путешествии.

— Предлагаю тебе принять душ, привести себя в порядок. Потом мы спустимся в ресторан и там все обсудим!

— Душ, — простонала, улыбаясь, Женя. — Ты представить себе не можешь, как я об этом мечтала! Но самая моя большая радость — это ты! Что ты здесь, в этой гостинице, что не обманула, что мы встретились...

Ее слова эхом отозвались в сердце Нади.

10. Катя. Саратов, 2014 г.

Щеки ее пылали, словно раскаленные угли. И уши тоже горели. И волосы на голове шевелились. И глаза были полны слез сожаления о сказанном и, главное, сделанном.

Ну почему, почему Надя сразу не доверилась ей и не рассказала о том, что с ней произошло? Да разве стала бы она искать ее мужа (мужа!!!), чтобы рассказать о том, что Надя пряталась эти дни у нее?!

Хотя, конечно, с какой стати она стала бы ей доверяться, ведь они мало знакомы. Просто землячки.

А зачем она спросила ее про деньги? Теперь Надя будет думать, что Катя — непорядочный, нехороший человек. И как с этим не согласиться? Зачем она открыла эту сумку? Разве можно вообще трогать чужие вещи?

Да она, может, и не открывала бы сумку, если бы не та сумасшедшая щедрость, с которой Надя тратила деньги. Сначала в магазин отправила, купи, мол, все самое лучшее, праздник устроим. Ну а когда она пообещала ей деньги, чтобы выкупить квартиру, Катя и вовсе подумала, что все это просто красивые слова о намерениях. Она не любила болтунов, людей, которые что-то обещали, зная заведомо, что не выполнят обещанное. А ведь таких людей вокруг много. Да большая часть. Их нужно отсекать от себя, избавляться, не впускать в свою жизнь. А Надя дала ей денег.

Она открыла сумку из любопытства. Вот и все. Увидела деньги и испугалась. Сразу вспомнила все фильмы, которые смотрела, про бандитов. А тут еще и сама Надя масла в огонь подлила, рассказала, что муж ее — следователь прокуратуры. И что она ушла из дома как бы из-за него, во всяком случае, Катя так поняла...

Ладно. Что было, то прошло. Конечно, страшно неудобно перед Надей, но уж теперь-то она не совершит ошибки. Просто сообщит Борису номер ее телефона, мертвый номер, конечно же, и пусть он ее ищет, или что он будет там делать... Это уже не ее дело. Раз Надя от него ушла — сам виноват. От хороших мужчин женщины не уходят. Хотя... Если так, то и от хороших женщин, значит, мужчины тоже не уходят. Нет-нет... никакая это не закономерность. От нее-то Саша ушел, а она неплохая женщина. Нет-нет, эта закономерность не работает.

Она тряхнула головой. Хватит вспоминать. Все теперь позади.

Комната, где жили любовники, терзая Катю одним своим присутствием, теперь была пуста. Стены голые, какие-то даже непристойные, как и бывшие хозяева.

Только в прихожей еще теснились какие-то коробки, все то, что не успели увезти.

Катя достала из ящика письменного стола договор купли-продажи, розоватый листок с гербовым кружевным рисунком и поднесла к лицу. Поцеловала. Вот оно, купленное на грязные деньги Нади спокойствие.

Уж теперь-то она никогда не выйдет замуж и уж точно не впустит ни одного мужчину к себе домой. Мой дом — моя крепость. Она накопит денег, сделает ремонт, купит новую мебель в «Икее», обставит квартиру с комфортом и будет спокойно жить, работая на своей «кондитерке», а в отпуск поедет куда-нибудь за границу. И жизнь ее наполнится радостью, счастьем и новыми впечатлениями.

Вот с такими приятными мыслями Катя отправилась в кухню, заварила чай, достала из буфета пирожные, включила маленький телевизор и уютно расположилась за столом в предвкушении приятного вечера.

После первого эклера, а их было четыре, раздался звонок.

«Снова эти двое, приехали за своими коробками», — подумала Катя.

Она подошла к двери, спросила, кто там.

— Это я, Катя, откройте, пожалуйста.

Голос оказался знакомый.

— Это вы, Борис? — удивилась она.

— Да, это я. Не бойтесь.

Она открыла дверь и впустила следователя Гладышева в дом.

— Что-нибудь случилось? — спросила Катя, ведь теперь она должна вести себя как-то по-другому и не стараться делиться информацией. Только бы не проговориться, только бы не ляпнуть лишнего!

— Да нет... Но если я не вовремя, то...

На него было больно смотреть. Говорят, «на нем лица нет» или «потерянное лицо», когда хотят сказать, что на лице человека видна вся боль, что это не лицо, а выражение самого страдания. Вот и Гладышев оставил свое лицо где-то в прежней жизни, где был, возможно, счастлив с женой, а теперь вместо лица была маска отчаяния, растерянности и большого горя.

Катя подумала, что Гладышев, пожалуй, первый мужчина, свидетелем страдания которого она стала, и если это так, то его появление в ее жизни надо расценивать как знак. Как поворот ее собственной судьбы, причем в переломный момент, когда ее-то проблемы разрешились, и она стояла на пороге счастья, и когда у нее появились силы для того, чтобы помочь кому-то другому. Передать, как эстафету, часть душевных сил и любовь тому, кто страдает сильнее.

— Борис, проходите. Пожалуйста! Я очень рада вас видеть! — Она даже посмела взять его за руку и потянуть за собой, как большого ребенка, нерешительного и стеснительного. Она поможет ему, постарается как-то отвлечь, успокоить, найдет для него такие слова, которые помогут ему хотя бы на время забыть о Наде.

Он повиновался ей и держал ее за руку так, как если бы она на самом деле была сильнее его. И это было удивительное чувство, ведь еще недавно она была так слаба, что не могла даже заставить себя встать с кровати и выпить воды! Ей жить не хотелось! Она чуть было не лишила себя жизни, не видя впереди ничего, ради чего стоило жить. А тут взрослый мужчина, следователь прокуратуры, у которого должна быть просто железная психика в силу профессии, и держится за нее, как за спасительницу, словно ее мысли и желание спасти его плавно перетекли в него.

— Вот, проходите, пожалуйста. Думаю, что в кухне нам будет удобно. Могу поспорить, что вы сегодня ничего не ели! — улыбнулась она. — Я угадала?

— Да, — вздохнул он, передавая ей свою куртку и усаживаясь на предложенный стул. — Это правда. Совсем нет аппетита.

Катя отнесла куртку в прихожую, зашла в комнату и быстро переоделась, сменила унылый серый свитер на белый, пушистый и штаны надела фланелевые, в красную и синюю клетку, чтобы выглядеть как-то теплее, уютнее и чтобы он ни в коем случае не подумал, что она собирается соблазнить его. Расчесала волосы, припудрила лицо и даже чуть подрумянила. И все это делала так быстро, что сама не поспевала за своими движениями, автоматически. Взяла листок с записанным на нем номером телефона Нади.

Вернулась в кухню, села напротив Бориса.

— Я знаю, зачем вы пришли. И могу вас обрадовать — у меня есть ее номер! Вот, держите!

Борис схватил листок и выскочил с ним из кухни, прикрыв за собой дверь. Катя с грустью посмотрела ему вслед, зная, что через пару минут он вернется и настроение его будет еще хуже.

Она достала из холодильника куриную лапшу, налила в тарелку и поставила разогреваться в микроволновку. Накрыла на стол деликатесами, которые остались еще со времен их с Надей пиршества: баночки с икрой, маринованными грибами, маслинами. Поставила бутылку водки, выложила на тарелку соленые огурчики. И уложилась как раз вовремя, когда вконец расстроенный безрезультатными попытками услышать голос своей пропавшей жены Борис вернулся в кухню.

— Ну как? — Ей с трудом давалась роль человека, наивно верящего в чудо. — Она взяла трубку?

— Телефон не отвечает. Думаю, что номер уже неактуален. Если уж она решила сбежать, то не сохранила бы телефон, который хоть кто-то, да знает. Она неглупая женщина и вполне могла предположить, что вы, Катя, как человек настроения, можете решить искренне помочь ей и связаться со мной.

Чтобы мы с вами вместе как бы спасли ее... Скажите, я прав? Разве после того, как она покинула вас, вы не стали рисовать картины бандитского плена и тому подобное, связанное с Надей?

Она вздохнула.

— Да, вы правы. Конечно, мне не очень-то приятно, что вы считаете меня круглой дурой...

— Катя!!!

— Да-да, я все понимаю... Как иначе можно относиться с молодой женщине, решившей свести счеты г жизнью из-за мужика... — она намеренно повела себя таким образом, чтобы вызвать у Бориса чувство вины. Сгустила краски.

— Но я совсем не это имел в виду! Пожалуйста, не обижайтесь на меня!

— Но вы оказались правы, я же действительно нашла вас, чтобы рассказать вам о Наде. Хотя, по большому счету, я предала ее. Ладно, что теперь говорить... Я вот тут супчик разогрела. Если не хотите, чтобы я на вас обиделась, давайте вместе поужинаем.

Борис устало улыбнулся.

— Где можно помыть руки?

Он вернулся из ванной комнаты, сел за стол, посмотрел на Катю. Потом, не сводя с нее глаз, открыл бутылку с водкой и разлил ее по рюмкам.

— Спасибо вам, — сказал он, качая головой и судорожно вздыхая. — Знаете, вы — единственный человек, к которому я смог вот так прийти и просто поговорить... Никому я не мог бы показать свою слабость... На работе — сами понимаете, меня никто не должен видеть в таком расхристанном, раскисшем виде. Дома — дети, мама, особенно мама, она не должна видеть, как мне плохо и, главное, каким слабым я сейчас себя чувствую.

— Но вы хотя бы позвоните ей, она же переживает.

— Да я уже позвонил, когда ехал к вам. Сказал, что у меня дела, успокоил ее, как мог. Дети здоровы, они еще маленькие, вернее, Володе-то уже исполнилось восемь, и он постоянно спрашивает, где мама, и мы придумываем какие-то причины ее отсутствия, тоже успокаиваем и делаем вид, что все нормально... Он, как и все дети, увлечен Интернетом, и это очень сильно расстраивало Надю... Катя, у вас ведь уже рука устала держать рюмку! Я предлагаю выпить за вас!

— А я — за вас!

Они чокнулись, выпили. Катю переполняло чувство глубокой удовлетворенности от сознания того, что она все сделала правильно. Что сумела удержать Бориса у себя, накормить его, приободрить. И хорошо, что в доме нашлась водка. Пусть мужик расслабится.

Закусив, Борис принялся за суп. Быстро съел, чем доставил удовольствие Кате.

— Очень вкусный суп! Спасибо вам! — Он промокнул губы салфеткой. — Катя, я понимаю, что сильно отвлекаю вас от ваших дел, от вашей жизни, наконец, но не могли бы вы поговорить со мной о Наде? Вам не удалось вспомнить какие-нибудь детали, что она говорила, куда поедет, что с ней вообще случилось.. Да-да, я помню, вы уже мне как будто бы все рассказали, но у нас такая память... Она нет-нет да и подарит нам какую-нибудь зацепку...

— Да, конечно... Вы спрашивайте, а я буду вам отвечать.

Он просто засыпал ее вопросами, которые копил все то время, что они не виделись. Он не просто спрашивал, он вел допрос, сам того не осознавая. Катя, убедив себя в том, что она должна вести себя так, как если бы не было ее недавнего разговора с Надей, пыталась отвечать правильно, как того требуют непростые обстоятельства. Главное — не проговориться!

Не добившись от нее ничего нового, он устало откинулся на спинку стула и замолчал.

— Мне тяжело об этом говорить, Катя, но что-то подсказывает мне, что никто Надю не похищал, никто не вынуждал ее поступить так, как она поступила, что она просто-напросто сбежала от меня, и я даже знаю, с кем...

— Как это — сбежала?

— Очень просто. Как сбегают жены от своих мужей. Вы же должны помнить ее такой, какой она была на самом деле... Еще там, в Сенной... Красивая, уверенная в себе девушка, яркая, эффектная... Это я превратил ее в служанку, няню моих детей, в несостоявшуюся личность. Я не позволил ей учиться, развиваться... Да она, думаю, просто возненавидела меня, и только дети как-то удерживали ее от того, чтобы уйти.

— Да куда уйти?

— Ну, еще в прошлом году у нее не было соблазна начать новую жизнь, окунуться в нее с головой... Но в какой-то момент ей стало известно, что один человек... Катя, я не буду ходить вокруг да около... Надя же сказала вам, что она ищет одного человека. Но этот человек не из моей жизни и уж точно не связан с моей профессиональной деятельностью. Это — Бузыгин. Помните такого?

— Постойте... Фамилия знакомая.

— Разве вы не знаете эту историю... Как Надю чуть не посадили в тюрьму из-за одного типа, бандита, по сути убийцы, с которым у нее закрутился роман, кода она была еще старшеклассницей?

— Это вы про него? Не может быть! Столько прошло лет! Его же посадили! Вы что, думаете, что они все это время продолжали поддерживать связь? Что она писала ему в тюрьму?

— Думаю, да. Я узнавал у того детектива... Только пообещайте мне, что не выдадите его, он и так нарушил ради меня все свои принципы... Надя приходила к нему, чтобы он нашел Бузыгина. Вот так. Так что ни в какую историю она не влипала, и ничто криминальное ей не грозит... Если, конечно, они вдвоем кого-нибудь не прирежут!

— Борис, да что такое вы говорите?!!

— А деньги у нее откуда? Он в прошлом году освободился, наверняка приехал сюда, и они встречались. Наверняка он снова кого-то убил, ограбил, я не знаю, и... Господи, он мог прятать награбленное, украденное у меня дома! Надя могла помогать ему, а может, вообще была сообщницей! Нет, у меня в голове это не укладывается... Она же — моя жена, мать моих детей... Денег, говорите, было много?

— Да, очень, — печально подтвердила Катя. — Хотя нет... Как же он мог их прятать у вас дома, если их ей принес один человек...

У Бориса зазвонил телефон.

— Слушаю.

Катя наблюдала за ним. Брови его медленно поползли вверх от удивления, взгляд остановился где-то на уровне переносицы Кати.

— Как это так? Другой? Однофамилец, что ли? Но этого не может быть, Лера. Да я теперь просто уверен, что она сбежала с ним. При ней, ты только не говори этому Дементьевичу, да и Родиону тоже, были большие деньги. Он снова втянул ее в какую-то историю... Она в беде, понимаете? Что? Я виноват? Почему? Она, значит, сбегает от меня со своим любовником, а я виноват? Да? А как еще его назвать? Коллегой по работе? Соседом? Случайным знакомым? Что-о-о??? Вы думаете вообще, что говорите?.. Как это не ищу? Да я тут всех на уши поднял! Но попробуйте, найдите иголку в стоге сена! Да я все понимаю, что никакая она не иголка, но она могла просто сесть в машину и укатить в любом направлении, вы понимаете? Она нигде не зарегистрировалась! Нигде! Она не покупала билет ни на поезд, ни на самолет! Мы ищем ее, ищем! А то, что вы рассказали... Это просто невозможно. Как это умер? Ладно, будут новости, я позвоню.

Закончив разговор, Борис некоторое время молчал, разглядывая рисунок на скатерти.

— Звонила бабушка Нади, Лера...

— Да... Я знаю ее, и что? Кто-то умер?

— Она сказала, что Бузыгин умер в тюрьме, в 2001 году, как раз тогда, когда его осудили! И что в прошлом году освободился его однофамилец. Но я же проверял — все сходится, и дата рождения, и вообще — уголовное дело заведено именно на этого Виталия Бузыгина! Ошибки быть не может!

— Так может, это правда, и никакого любовника у Нади нет!

Катя подложила на тарелку гостю сделанные ею два маленьких бутерброда с маслом и икрой.

— Действительно, все это как-то странно...

— Катя? — позвал он, и когда она подняла на него глаза, посмотрел на нее долгим взглядом. — Вам можно доверять?

— Но это уже вам решать, Борис... А что случилось?

— А ведь я знаю, где она...

— Как это? — Катя почувствовала, как запылало ее лицо. Что он знает? О чем?

— Она отправилась на юг. Я не сказал Лере... Все это еще не точно, но в том поезде, на котором она отправилась в Адлер, произошло убийство... Убили одного известного саратовского предпринимателя, старика, владельца рыбных магазинов — Гольдмана. Его жена сбежала, а пассажирка Надежда Гладышева выступила в этом деле в роли свидетельницы...

— Нет... Этого не может быть...

— Почему?

— Вы что, хотите сказать, что Надя... что они с этим... Бузыгиным... убили этого старика?

— Катя... Если вам хоть что-нибудь известно... Пожалуйста... Вы же видите, как все закручивается... Если вы все знали и не рассказали мне, то, в случае если смерть Гольдмана — дело рук Нади и Бузыгина, вы пойдете как соучастница, а не как свидетельница. Почему она пришла именно к вам? Вы случайно не родственница Бузыгина? Может, какая-нибудь двоюродная сестра?

Катя, не понимая, что с ней происходит, вдруг пересела к нему на колени, обняла его голову и накрыла его рот своими губами, словно желая выпить все те заблуждения или даже обвинения в ее адрес, готовые сорваться с его губ.

— Хорошо, я все расскажу, все... Но не потому, что испугалась, а потому, что так будет правильно, — прошептала она жарко ему на ухо и обняла еще крепче. И тут же почувствовала, как он ответил на ее поцелуй.

— Ты поедешь со мной? — отдышавшись, спросил он, лаская ее руками, соскучившимися по женскому телу. — Поедешь?

— Куда?

— В Адлер. Мы разыщем их, разыщем... У меня там есть знакомые, в Лазаревском, мы отдыхали там с Надей... Поедешь?

— Да, поеду...

Она согласилась бы полететь даже в космос или спуститься вместе с ним в батискафе на дно Марианской впадины, лишь бы он не убирал свои руки, лишь бы не прекращал начатое.

— Какая же ты сладкая... Надя... Катя...

11. Надя. Лазаревское, 2014 г.

Начали с коньяка и шашлыка в ресторане «Прибой», причем на террасе, на открытом воздухе, где было много солнца, тепла и море, море... Море, казалось, плескалось прямо под ногами, а уж как оно блестело! Просто резало глаза! И это в январе, официантка сказала, что плюс десять — это обычная зимняя температура для Лазаревского.

Коньяк наполнял сосуды приятным теплом и весельем, а шашлык был просто превосходен! А уж чесночный соус с кориандром!

— К черту мужиков! — махнула рукой подвыпившая Женя Гольдман, урожденная Дунаева, глядя прикрытыми от солнечного блеска глазами за горизонт. — Как хорошо без них, скажи, Надя? Как же мне здесь нравится! И почему-то ну совершенно не холодно. Даже наоборот...

— Это коньяк, — сказала Надя, отлично понимая ее и чувствуя какую-то щенячью радость от ощущения приятной физической расслабленности и замолчавшей на время памяти.

Словно на этой приморской ресторанной террасе, где они были только вдвоем, не считая официантки, следящей за ними в готовности выполнить любое их желание, время остановилось, давая возможность передохнуть от проблем. Вот бы еще поставили сюда кровати с перинами, и можно было бы выспаться на свежем морском воздухе.

— Две барышни, пережившие стресс и наломавшие дров, имеют право забыться, скажи? Господи, вот ты мне рассказала, что с тобой произошло, и я подумала, как же в жизни все относительно! Я-то думала, что это только у меня проблема, ну, такая, колоссальная, просто нереальная. Оказывается, у тебя еще сложнее, просто бомба! Это же надо — получить в подарок от своего друга лимон и так растеряться! Если бы мне сказали, что такое возможно, я бы не поверила. Любой нормальный человек, окажись на твоем месте, не раздумывая, припрятал бы эти деньги, а уж потом, все хорошенько обдумав, начал действовать. У тебя было множество вариантов, как поступить, и только два — принципиально разных: первый — оставить эти деньги себе, второй — вернуть их. И поверь мне, все сто процентов предполагаемых счастливчиков оставили бы эти деньги себе. Рассказывать об этом мужу или нет — это не так и важно. Сама потом бы поняла. А вот вернуть... Зачем? Кому? Надя, ты думаешь, я не понимаю, зачем ты мне все это рассказала и даже показала деньги?

— Ну и зачем? — Надя подняла отяжелевшую голову и тоже перевела взгляд на яркую солнечную дорожку, сверкавшую на поверхности моря.

— Тебе нужно было чужое мнение, как бы взгляд на ситуацию со стороны. Я права?

— Конечно, права. Да только я заранее знала, что ты мне скажешь.

— Ясен пень!

— Ну, и как бы ты поступила?

— Спрятала бы их понадежнее и какое-то время жила, ничем и никак не выделяясь, как если бы ничего не произошло. Безусловно, я предположила бы, что эти деньги предназначались все же не мне. Что меня с кем-то перепутали. Разве тебе это не приходило в голову?

— Представь себе — нет. И знаешь, почему? Вот смотри. Я — Надежда Юфина. Она же — Гладышева. Пусть меня перепутали бы с однофамилицей, с которой совпали бы (что само собой невероятно!)

даже две фамилии — девичья и по мужу. Но вот чтобы мне назвали имя моей бабы Леры?!! Тройное совпадение — такого не бывает. Это невозможно! Поэтому эти деньги точно предназначались мне. И поскольку сумма безумная, огромная, значит, человек, который мне эти деньги отправил, — не простой, а, что называется, с размахом. С безуминкой!

— Бизнесмен?

— Нет-нет, ну ты что?! Бизнес — это все-таки какие-то заработанные деньги, и ни один здоровый на голову бизнесмен никогда бы не вынул такие деньжищи из бизнеса, потому что это полный бред, бессмыслица! Эти деньги — шальные, понимаешь? И раз он мне отправил миллион, то, представь себе, сколько у него осталось!

— Допустим, ты права, и он действительно нашел клад Меншикова в Петербурге. Как ты думаешь, общественности известно об этом?

— Я пыталась найти ответ в Интернете, еще когда была дома, но ничего не нашла... Скорее всего, это произошло тихо, тайно и держалось или даже до сих пор держится в секрете по той простой причине, что Виталию потребуется много времени, чтобы содержимое этого клада, все эти царские украшения, бриллианты, золото были проданы. Ведь покупатели подобных вещей — люди не обычные, скорее всего, даже иностранцы. Я хочу сказать, что сейчас в Петербурге есть люди, которые работают на Бузыгина. Это эксперты, ювелиры, тайные посредники из определенной среды, многие из которых связаны с дипломатами, банкирами, миллионерами... И работают они давно, поскольку им уже удалось продать какую-то часть клада или кладов, миллион евро из которых Виталий решил подарить мне.

— Не представляю даже, сколько могут стоить те украшения, из «шоколадной» банки... Интересно, почему он не продал их, а решил подарить тебе? Ведь он же понимает, что ты никогда не сможешь их надеть. Только продать!

— А я думаю, что это такой романтический жест, вроде как и я тоже достойна царских украшений. Он же вообще — романтик.

— Но тогда объясни мне, чтобы я поняла: если он любит тебя до сих пор, вернее, он точно любит, иначе не совершил бы такого поступка... Так вот, если он испытывает к тебе нежные чувства, то почему не пришел сам, а послал своего человека? Что это может означать?

— Я тоже думала об этом и решила, что он не в России. Словом, что он не может прийти сам.

— А может, он болен?

— Откуда мне знать?! Но согласись, что все это с самого начала выглядело очень странно, нелепо, фантастически!

— Подожди... А что, если этот миллион — все вырученные от продажи украшений деньги и Виталий, попав в трудное положение — быть может, его схватили или он был близок к этому... Словом, может, он просто решил таким образом спрятать эти деньги у тебя? Ну, знаешь, как общак!

— И об этом я тоже думала. Но разве не логично было бы вложить в сумку и записку для меня, что, мол, Наденька, не трогай денежки, они не твои... Если же у него не хватило ума сделать это и меня никто не предупредил, значит, эти деньги предназначаются мне. И точка.

— Ты говоришь это сейчас потому, что ты уже начала их тратить.

— И нисколько не жалею об этом.

— Так потрать тогда на себя! Если Виталий превратил драгоценности в деньги, а ты преврати деньги в какую-нибудь недвижимость. Позаботься о себе, о своей семье. Воспользуйся случаем!

— Ладно, хватит об этом... Я устала. У меня голова скоро лопнет от этих мыслей. Пусть все идет, как идет. Вот сейчас вернемся в гостиницу, выспимся, отдохнем и начнем поиски его сестры. Я уверена, что мы ее найдем. Поговорим, выясним, где Виталий, что с ним. Может, тема клада всплывет сама собой. Будем действовать по обстоятельствам. Слушай, а давай закажем блинов с икрой? Гулять так гулять!

— Дуры мы с тобой, Надя... — задумчиво проговорила Женя.

— Это еще почему?

— Да нечего нам здесь делать, в этом Лазаревском. Надо садиться на машину, в смысле, нанять частника, и пусть он довезет нас, предположим, до Краснодара. Оттуда, уже на другой машине — до тех же Зимовников, ну и так далее — до Саратова. Тебе нужно домой. Просто необходимо встретиться с мужем, с детьми! Расскажешь ему всю правду. Если будет настаивать на том, чтобы ты отказалась от этих денег, а твой муж, судя по тому, что ты о нем рассказывала, человек порядочный, принципиальный, вот тогда ты уже будешь действовать самостоятельно...

— Постой! Может, ты, конечно, и права, и мне нужно встретиться с Борей, но только не для того, чтобы рассказать ему о деньгах.. Вернее, можно рассказать, что вот они были, а потом их у тебя украли... Вот тогда я и увижу его реакцию, пойму, что бы он сделал, если бы эти деньги были у меня.

— Ну, да, так даже еще интереснее. Схитри, конечно. А я в Саратове встречусь с родственниками Левы, официально откажусь от своей доли в наследстве и, главное, увижу своих родителей. Успокою их. Да... Странная история. Мы приехали сюда, получается, чтобы ты добровольно, в ясном уме, что называется, и твердой памяти отказалась от денег.

Надя посмотрела на Женю. С ней всегда так. Сказанное другим человеком вносит ясность, определенность, в то время как собственные мысли кажутся неправильными, ошибочными, несмотря на желание сделать все по совести...

— Потом не забывай, что его сестра — это бузыгинская кровь, понимаешь? А что, если она тоже мошенница или бандитка? Надо быть очень осторожными...

— Да я же не собираюсь рассказывать ей о деньгах! Надо придумать причину, заставившую меня искать его. Предположим, я должна ему деньги... Хотя нет, тогда получается, что они у меня есть... О! Скажу, что у меня сын от Виталия. И что я хотела бы увидеть ее брата...

— А что, неплохая идея. Вот ребенок — это мотив. Стопроцентный. Но только не деньги. Деньги... Постой... А деньги? Полная сумка денег, мы оставили их в гостинице под кроватью! А что, если горничная откроет сумку?

Обе вскочили, Надя бросила на стол деньги и, схватив за руку Женю, бросилась к ступеням, ведущим с террасы ресторана наверх на набережную.

— Боже, ну какая же я дура! — твердила вмиг протрезвевшая Надя. — Это же надо — так расслабиться! Да если эти деньги украли, то мы ничего не докажем, да я сама не посмею признаться в том, что держала при себе такую сумму. А ты меня чего не остановила?

— Хороший вопрос, — вздохнула Женя. — Потому что тоже голову потеряла. У тебя — твоя история, о которой ты постоянно думаешь, а у меня — своя. Конечно, я должна была напомнить тебе о деньгах...

Влетели в номер, Надя вытащила сумку и, когда увидела ряды денежных пачек, закрыла лицо руками и расплакалась.

— Ну, слава богу, все на месте! — Женя присела возле нее на ковре, обняла ее за плечи. — Но вообще-то таскать такие деньжищи с собой — это не дело.

— И куда мы их спрячем?

— На вокзале, в камере хранения. Больше некуда.

— Хорошо, а сейчас давай собираться. Положим деньги в камеру хранения и пойдем искать эту женщину, его сестру.

Девушка на ресепшен, узнав, что гости интересуются местными жителями, пригласила жившую неподалеку от гостиницы женщину-уборщицу, Валентину Ивановну.

Надя с Женей, отведя ее в сторонку, подальше от посторонних ушей, попыталась выяснить, знает ли она проживающую в Лазаревском женщину средних лет по имени Антонина, у которой немного косит глаз.

— Ее девичья фамилия Бузыгина, — добавила Надя, с надеждой глядя на маленькую, лет пятидесяти, проворную женщину в курточке и потертых джинсах.

— Да, знаю я ее... Тоня зовут.

— У нее козы есть?

— Можно сказать и так, — напустила туману Валентина Ивановна.

— В смысле?

— Вот найдете ее и поговорите. А я не люблю сплетничать.

Надя дала ей ручку, блокнот, куда та записала адрес Антонины.

— А вы что-нибудь о ее брате знаете? Слышали? — не выдержала Надежда.

— Нет, не слышала. Но они не местные жители, вернее, муж ее, Георгий родом из Сочи, а вот откуда родом Тоня — не знаю...

На такси доехали до окраины городка, остановились на узкой мокрой улочке под романтичным названием Рыбацкий переулок, напротив добротного трехэтажного дома, отпустили такси, позвонили в ворота.

Горели окна лишь первого этажа да небольшой постройки в глубине сада. Вскоре на крыльце показался мужчина в меховой жилетке и темных штанах, постоял немного, вглядываясь в незнакомок.

— Слушаю вас! — наконец крикнул он.

— Мы хотели бы у вас комнату снять... Можно?.. Говорят, у вас козы есть, а у меня сестра болеет... Мы специально к вам из-за этого молока...

— Так ведь зима! Козы все беременные. Но комнату я вам сдать могу, и недорого, на втором этаже, там и отопление есть. Раньше там наш сын жил, а сейчас он в Москве, учится.

Мужчина открыл ворота, впустил девушек.

— Меня зовут Матвей Ильич, — представился он, и Надя с Женей тотчас переглянулись. Вроде мужа Антонины звали Георгием.

— Антонина, Георгий? Разве они не здесь живут? Или мы перепутали дома?

— А... Так вам нужны Агашевы... Да-да. Они здесь, все нормально! Проходите! Тоня, Тоня-а-а?!!

Откуда-то из глубины сада вышла женщина в голубой куртке, длинной теплой юбке и резиновых ботах. Ее лицо уродовал длинный шрам, прорезавший левое веко и сделавший один глаз больше другого.

— Тоня? — тихо спросила ее Надя. — Нам надо поговорить...

Женщина внимательно посмотрела на Надю, затем перевела взгляд на Женю, вероятно, тоже пытаясь найти знакомые черты. Но так и не нашла. Пожала плечами.

— Идемте за мной, вот сюда, — она подошла к лестнице, ведущей на второй этаж, к площадке с отдельным входом в дом. — Там на самом деле тепло, вся квартира отапливается.

— Так комната или квартира?

— Квартира, конечно. Пойдемте, я вам там все покажу. А вы к нам откуда?

— Из Саратова, — сказала Надя.

Антонина поднялась первая, отперла дверь одним из ключей, целая связка которых звенела у нее в кармане куртки.

— Заходите, вам понравится.

Вспыхнул свет, и девушки увидели чистенькую, с оранжевыми стенами квартиру. Антонина сразу же бросилась к батареям отопления и принялась крутить вентили.

— Вот сейчас начнет поступать теплая вода, и скоро здесь будет даже жарко!

— Скажите, Антонина, у вас есть брат Виталий? Виталий Бузыгин?

— Виталий? — Она медленно повернула голову и встретилась взглядом с Надей. — Да, у меня был такой брат, и что?

— А то, что я его ищу и никак не могу найти! — Надя попыталась изобразить на своем лице улыбку.

— Чего-то натворил братец? — Антонина нервным движением пригладила свои длинные, уложенные в тяжелый узел на затылке волосы и нахмурила брови.

— Можно и так сказать, — горько усмехнулась Надя. — Совершенно случайно вспомнила, как он про вас рассказывал, правда, давно это было, почти тринадцать лет назад... Я даже не знала, откуда он родом, он не сказал. Зато мечтал меня вот сюда привезти, в Лазаревское, сказал, что у него здесь сестра живет, Антонина, с мужем Георгием... Виталий Бузыгин, я ничего не путаю? Это ваш брат?

— Да, это мой брат, — Антонина по-прежнему смотрела на нее, не мигая. — Так что он натворил тринадцать лет назад?

— Ребеночка мне сделал, вот что! — рассмеялась Надя. — Но у меня к нему никаких претензий... Нет-нет! Я тут вообще по своим делам, и у меня другой муж, семья... Мы приехали с подругой дом себе присмотреть, лучше зимой выбирать, не в сезон, ведь так? Чтобы подешевле!

— Так-то оно так...

— Может, вы скажете, где он? Я просто показала бы ему сына, и все. Повторяю: у меня к нему никаких претензий.

— Знаете что, — сказала Антонина. — Давайте-ка перенесем этот разговор в другое место, пойдемте к нам с Георгием, у нас времянка в глубине сада. Что? Не поняли еще? Да не принадлежит нам уже этот дом. Виталий ваш и постарался, подсунул нам с мужем один документ на подпись, и ведь с нотариусом пришел, сказал, что хочет купить дом в Сочи и доверяет заключить эту сделку нам с Гошей, сам куда-то там срочно уезжает... Мы и думали, что подписываем согласие на представление его интересов, просто доверенность... А он обманул нас и продал наш дом вместе с козами нашему соседу, Матвею Ильичу и его жене Оксане.

— Виталий? Это он сделал? Просто невероятно! И как подло!!!

Они уже вышли на улицу, прошли несколько шагов по опустевшему заснеженному саду и оказались на пороге небольшого домика с ярко горящими окнами.

— Проходите! Гоша, принимай гостей, вот, люди тоже Виталия нашего ищут...

Высокий, худой и черноволосый Георгий помог
девушкам раздеться и проводил в одну-единствен-
ную комнату времянки, служившую семье и гостиной, и кухней, и даже спальней.

— То есть вы хотите сказать, что этот дом, —
Надя обвела рукой пространство вокруг себя и показала в окно, — уже вам не принадлежит?

— Да, представьте себе, — вздохнул Георгий. —
Чаю? Кофе?

— Мне — чай, — сказала Надя, Женя в знак со-
гласия с этим выбором кивнула, обращаясь к хозяину времянки. — Но вас оставили здесь... Почему?
Из жалости?

— Я бы так не сказала, — отозвалась хлопо-
тавшая возле кухонного буфета Антонина. — Эти
Сараевы сразу поняли, что лучших работников для
своего хозяйства и коз им здесь просто не найти.

— И вы согласились?

— А что нам еще оставалось? У нас не было ни
дома, ни тем более работы. Да мы в один миг стали
нищими! Все потеряли, поставив свои подписи на
документах.

— Какой кошмар! И сколько же лет вы вот так
живете? Вроде дома и не дома?

— Зимой было четырнадцать лет.

Надя перевела взгляд на Женю. Получалось, хотела сказать она, что Виталий обманул и ограбил
свою сестру до того, как появился на станции Сенная. И куда же он тогда дел все деньги?

— Мой братец — самый настоящий преступник, девочка моя, — сказала Антонина, ставя перед
ней тарелку с печеньем. — И мне правда жаль, что

ты родила именно от него. Неизвестно еще, как покажет себя его кровь. Ты говоришь, у тебя сын... А он-то, Виталий, знал об этом?

— Нет, не знал. Да я бы и не стала ему говорить... Просто, говорю же: оказалась в ваших краях, вот и вспомнила о вас. Ну а где он хотя бы живет, в каком городе? Вам что-нибудь о нем известно?

На этот раз Антонина с мужем переглянулись, как бы советуясь, как быть, что сказать. Наконец Георгий произнес:

— А вы что же это, ничего не знаете? Так Виталий же помер.

— Что? Как это — помер? Когда?

— В 2001 году и помер, в тюрьме. Нам и документ пришел официальный.

— Но этого не может быть! — воскликнула Надя.

— Я могу показать вам это письмо... Или вы думаете, что, будь он живой, не наведался бы сюда? Да ему же и идти-то было бы некуда. После тюрьмы он вряд ли был здоров, вот и приехал бы к нам, подлечиться, отъесться...

— И это после того, как он вас разорил, обманул? Ограбил?

— Да, он был такой. Но в том, что произошло с нами, виновата только я, вон, спроси Георгия. Поверила, даже не прочитала документы, под которыми подписываюсь. Да у меня в голове такого не было, чтобы родной брат мог пустить меня по миру... А когда все это случилось и когда Сараевы приехали нас выселять, у меня микроинсульт случился, слава богу, быстро поправилась и принялась за работу. Нет, вы не подумайте, они люди неплохие, и ведь это же не они украли у нас дом и хозяйство. Купили. Правда, за полцены. Но все равно — немалые деньги. Могли бы нас выкинуть на улицу, но оставили же, поселили вот здесь, работу дали, платят неплохо.

— Значит, вы и не собирались здесь ничего снимать, — вдруг догадался Георгий. — Вы так специально сказали Сараевым, чтобы с нами встретиться, поговорить?

— Да мы были уверены, что дом принадлежит вам. Может, и пожили бы, а так... Зачем платить людям, один вид которых доставляет вам столько страдания. И вы все эти годы работаете на чужих людей, смотрите, как они пользуются всем тем, что было нажито вами. Да как так вообще можно жить, я не понимаю? — возмутилась Надя. — Послушайте, это точно, что Виталия нет в живых?

— Точно. Можете сами навести справки в полиции. К тому же, повторюсь: если бы он был живой, давно бы уже здесь объявился...

Отказавшись селиться в доме, который уже и не принадлежал сестре Виталия, Надя с Женей вернулись в гостиницу.

— Вот скажи, ты что-нибудь понимаешь? — воскликнула Надя с порога, входя в номер и раздеваясь на ходу. — Виталий умер! Но кто же тогда передал мне эти деньжищи?

— А я говорила тебе, что тебя могли с кем-то перепутать.

— С кем? Послушай, если перепутали, то сейчас бы уже установили слежку за нашей квартирой в Саратове, за Борисом, свекровью...

— И за тобой, Надя.

— В смысле? Хочешь сказать, что и сейчас за мной следят?

— Не знаю... Если бы тебя нашли, вычислили, то и деньги бы давно отобрали. Но что-то здесь не так, согласись! Ты же думала, что это Виталий, а его, оказывается, нет в живых.

— А что, если это легенда такая, ну, как будто бы он погиб, умер, а на самом деле — сбежал из тюрьмы, нашел «меншиковский» клад и все такое, а?

— Ты неисправимая фантазерка! Да если бы он сбежал, тогда тем более объявился бы у сестры, уж как-то, но дал бы ей о себе знать.

— А вот и нет! Он кинул ее, обманул, оставил голой и нищей, не думаю, что после этого он осмелился бы у нее появиться.

— А я думаю, что твой Виталий как раз из той породы людей, для которых вообще не существует никаких моральных законов. Ограбив сестру, он спокойно вернется к ней в трудную минуту, как будто бы ничего и не было, и попросит тарелку супа.

— Может быть, может быть... Женя, что-то я совсем растерялась. Это известие о его смерти просто потрясло меня. Получается, что он умер практически сразу после того, как его посадили, в том же году... Его посадили, а меня выпустили. Но кто же тогда принес мне эти деньги? Кто? И что мне теперь с ними делать?

— Тратить, что же еще!

— Постой... И как же мне это раньше в голову не пришло: на ручке сумки имеются отпечатки пальцев того человека, который принес мне сумку. К тому же я могу составить его фоторобот, у него очень необычная внешность. Если выясним, кто он такой и где его можно найти, то выйдем и на хозяина!

— Неплохая идея. Значит, вернешься обратно, в Саратов?

— Конечно!

— Вот и хорошо. Пора и мне тоже заканчивать мою историю. Подпишу все необходимые документы, откажусь от наследства, и все — мои отношения с Гольдманами будут закончены. И я начну новую жизнь. Надя? Ты чего задумалась?

— Ты сказала про тарелку супа, которую Виталий попросил бы у сестры, если б вернулся из тюрьмы. А не наоборот? Смотри, он сбежал, нашел клад, разбогател... Как ты думаешь, если он мне отправил такие деньги, неужели сестре бы ничего не перепало? Ну не зверь же он какой, понимал же, что натворил!

— Тоже верно. Что же это получается? Не его это деньги, от кого-то другого тебе принесли сумку... Я думаю, что нам лучше всего вернуться домой и заняться нашими делами. Я — своими, а ты обратись к профессионалам, пусть обследуют сумку и по отпечаткам пальцев найдут этого «посыльного». Тем более что у него такая характерная внешность, как ты говоришь.

— Хорошо, предположим, я найду этого человека. Приду к нему и скажу: вот, возвращаю тебе твои деньги, мне чужого не надо. Но всей суммы у меня уже нет! Да и стоит ли суетиться? Я же не воровала эти деньги? Нет.

— Надя, ты чего задумала?

— Понимаешь, если эти деньги предназначались Надежде Юфиной...

— Ты можешь вспомнить слово в слово то, что сказал тебе этот посыльный?

— Да, я помню. Он сказал: «...я должен убедиться, что вы — Надежда Юфина, 1985 года рождения, родом со станции Сенная».

— Даже станцию упомянул?!

— Ну да! Второй Нади Юфиной на Сенной нет, да еще 1985 года рождения!

— А что про бабушку твою сказал?

— Спросил, как зовут мою бабушку. Я ответила: « Валерия Юфина». Потом он спросил: «Какого цвета ее волосы?» Я ответила: «Такого же, как и мои. Рыжие». Я еще испугалась за бабушку, спросила его, что с ней, что с Лерой, и тогда он словно уточнил про себя: «Валерия, Лера. Да, точно — Лера. Вот, вам велели передать...»

— Что я могу сказать? Это твои деньги, Надя. И не парься. Ну, все совпало! Даже поинтересовались цветом твоих волос! Может, действительно он сбежал, а вместо него в тюрьме умер кто-то другой, кого заставили взять его фамилию... Сколько фильмов снято на эту тему, сколько книг написано про тюрьму... Нет, что-то здесь нечисто... И эти деньги, которые он выручил от продажи дома Антонины, может, он спрятал куда и потом, оказавшись в тюрьме, воспользовался ими, может, кто из его друзей организовал ему побег?

— Да запросто!

— Но, с другой стороны, если бы у него были деньги, разве стал бы он грабить ларьки?.. Ты уж извини, что напоминаю тебе...

— Тоже правильно. Ну, тогда я вообще ничего не понимаю!

— Говорю — не парься! Живи себе спокойно. Ты можешь меня, конечно, не послушать, но поскольку ты дама замужняя и у тебя детки, советую тебе вернуться домой и все рассказать мужу. Начни со своих страхов, пусть он поймет, что твое бегство было продиктовано исключительно желанием уберечь его от разочарования, от потрясения, вызванного появлением Бузыгина. Если он не дурак, то поймет. Ты все-таки женщина, потому и поступок такой эмоциональный, импульсивный... Доверься ему, и пусть он и поможет тебе выяснить, кто отправил тебе деньги.

— Не знаю, что ты думаешь по этому поводу, но я сердцем чувствую, что эти деньги — нечистые, понимаешь? Грязные они, криминальные. И только один человек в моей жизни был связан с криминальным миром — это Виталий.

— Хватит уже рассуждать! Тебя дети ждут. Предлагаю купить билеты и отправляться домой. Наш визит к Антонине был очень странным... Уверена, что она тебе не поверила, иначе попросила бы показать хотя бы фотографию малыша. Все-таки племянник.

— Она же сказала открытым текстом, что в нем течет бузыгинская, преступная кровь. Билеты, говоришь? Уехать мы всегда успеем. Если ты не возражаешь, задержимся еще на пару дней... У меня одна идея есть.

12. Борис. Лазаревское, 2014 г.

В комнате и без того было душно, а тут еще эти воспоминания Бориса, связанные с Катей. Словом, было от чего краснеть. Как могло случиться, что он так размяк, что называется, рассиропился-разлимонился, позволил ей то, чего не должен был позволять, да и сам расслабился. Катя, и зачем она только к нему пришла? Вот из-за таких слабовольных женщин и случаются трагедии, разрушаются семьи. Ведь понимала, что поступает дурно, что он женат, да к тому же еще находится в странном и тяжелом положении — и все равно воспользовалась моментом, села к нему на колени, обняла его.

Она не могла знать, в какую сложную игру он играет, обнимая ее. Или почувствовала? Он-то представлял на ее месте свою Надю, пусть нехорошую, обманувшую его, но такую родную.

Утром, проснувшись и обнаружив себя в чужой постели, рядом с чужой женщиной, он хотел только одного — зажмуриться и открыть глаза уже у себя дома. Или у мамы.

И как это могло случиться, что он предал Надю? Ни разу за все годы брака он не изменял жене, любил только ее и был уверен, что с другой женщиной у него ничего и никогда не получится. И что вышло на самом деле? Стыдно вспомнить, как было хорошо.

А еще было стыдно от того, что он с помощью Кати проверил себя как мужчину, может ли он понравиться кому-то, кроме Нади, вот это было самое ужасное и непристойное.

Катя вела себя, как изголодавшаяся по мужчине женщина. Да она и не скрывала, что у нее долгое время никого не было. Накопила нежности, любви да и обрушила все это на Бориса. И после этого она может считаться подругой Нади? Может, они все такие, женщины?

Еще она как бы невзначай намекнула ему, что и Надя сейчас тоже не скучает. Что она хотела этим сказать? Или выдумала это, чтобы оправдать собственное безрассудство?

Да и вообще эта Катя какая-то странная. Сначала принимает у себя Надю, прячет в своей квартире, потом идет к ее мужу и выдает подругу с головой, но ей и это кажется недостаточным, и она соблазняет его.

Хотя если бы он не захотел, то ведь ничего и не было бы! Значит ли это, что все, даже самые порядочные люди (или люди, себя таковыми считающие) — подлые предатели? Ну или, во всяком случае, готовы в любую минуту предать самого близкого человека? Или же физическая близость с другой женщиной не считается предательством? Ведь он-то себя считал вполне порядочным человеком, к тому же искренне любил и продолжает любить свою жену, Надю.

И вдруг в процессе раздумий, рассуждений, единственной целью которых было понять самого себя, определить степень своего предательства или даже подлости по отношению к жене, Борис почувствовал, как его бросает в жар при одной мысли, что спящая рядом с ним и совершенно чужая для него женщина с той же легкостью, с какой она подставила свою подругу, может предать и его, рассказав Наде при случае об этой ночи. И эта мысль стала ему невыносима. Как заставить ее молчать? Вернее, не заставить, а убедить?! Какие слова найти, чтобы она, вполне вероятно сейчас допустившая возможность продолжения их отношений, забыла о нем, вот просто вычеркнула его из своей жизни?

Что он наделал? Зачем позвал с собой в Адлер? На какие только глупости не толкают человека одиночество и растерянность!

Борис как ни старался не разбудить Катю, она все равно проснулась и, увидев его, одевающегося, улыбнулась. Понятное дело, вспомнила то, что произошло между ними ночью.

— Катя... — он присел на краешек постели рядом с ней, взял ее руку. — Не знаю, как тебе сказать... Ты — прекрасная женщина, красивая, нежная... Но я люблю Надю. И я не могу взять тебя с собой, понимаешь?

Он заглянул ей в глаза.

— Боря, да успокойся ты, — она ласково погладила его руку своей рукой. — Я же все понимаю. Надя — твоя жена, и ты ее любишь. Конечно, мы с тобой забудем то, что было, и каждый продолжит свою жизнь отдельно от другого. Обещаю тебе, что Надя никогда ни о чем не узнает. Но и ты тоже не особенно-то переживай. Что бы ни случилось в жизни женщины, тем более замужней, она не должна скрывать это от мужа. А если она это скрывает, значит, боится признаться, рассказать, а это свидетельствует о тайне... У нее тайна, и у тебя тоже — тайна. Сейчас самое важное для тебя — разыскать Надю и вернуть себе, ведь так?

— Да, так.

— Тогда действуй! Если тебе когда-нибудь понадобится моя помощь — можешь во всем на меня положиться. Если бы ты захотел, чтобы я поехала с тобой на море искать Надю, я бы поехала, но если ты считаешь это нарушением каких-то принципов, если ты боишься меня...

— Катя!

— Думаю, мы оба все понимаем.

Она, как он понял, могла еще долго говорить в таком же духе, успокаивая его, но результат был обратный — с каждым произнесенным ею словом он чувствовал себя все более виноватым перед Надей. Поэтому, извинившись, он быстро оделся и ушел, отказавшись от завтрака и даже от кофе.

Несколько утренних часов у него ушло на то, чтобы связаться с сотрудниками линейного отдела транспортной полиции, занимавшимися делом убитого (или умершего) в поезде бизнесмена Гольдмана, а через них выйти на проводницу, которая хорошо запомнила соседку по купе Гольдманов, Надежду Гладышеву, и главное — на какой станции она вышла. Хотя и без ее показаний он мог бы догадаться, что Надя могла выйти на станции Лазаревская, поскольку именно там они с семьей отдыхали чаще всего. Вот только зачем она отправилась туда зимой? И с кем? С тем ли самым Бузыгиным или же тот Бузыгин давно уже умер? Или он жив и в 2001 году из тюрьмы вынесли тело другого человека под его фамилией?

Предполагать можно было бесконечно, но главным оставались факты: первый — Надя укатила на море; второй — при ней было очень много денег; третий — деньги эти ей принес человек, похожий на Кощея Бессмертного; четвертый — она скрыла все это от своего мужа.

Слабая надежда на то, что Надя попала в серьезную и очень опасную историю и нарочно вызвалась на роль свидетельницы в деле Гольдманов, чтобы ее фамилия профигурировала в этом саратовском деле, то есть попала на глаза Бориса, и ее поездка именно в Лазаревское, куда они ездили много раз всей семьей, тоже оказалась не случайной — все это подтолкнуло Бориса к немедленному действию. А именно — он взял билет на самолет и полетел в Адлер, где его должен был встретить приятель и коллега, с которым он и познакомился лет десять назад во время одной из поездок на море, Денисом Тришкиным. Денис работал следователем прокуратуры Адлерского района города Сочи, но для семьи Гладышевых во время их отпусков он был незаменимым гидом и просто другом, симпатичным и веселым отцом небольшого семейства, состоящего из очаровательной молодой жены Насти и дочки Сони.

Светловолосый, слегка располневший Денис встретил Бориса в аэропорту Адлера крепкими мужскими объятиями.

— Ты что один, без Нади? — спросил он, увлекая Бориса за собой на парковку, где стояла служебная машина. — По делам? По службе?

— Да пропала Надя... — и Борис, решивший, что история его жены явно не предназначена для телефона, приехал в Адлер, чтобы рассказать в подробностях лично Денису.

Они ехали в Лазаревское, Борис рассказывал, Денис же время от времени качал головой и иногда присвистывал в недоумении или негодовании. Когда Борис закончил свой рассказ, Денис несколько минут молчал, вероятно пытаясь осмыслить услышанное.

— Да я всех подниму на уши, но Надю мы найдем. Другое дело, понять бы: она сама, по своей воле сюда приехала или же ее заставили? А тебе не приходило в голову, что она как бы перевозчик? Может, ей элементарно доверили перевезти крупную сумму наличных?

— Возможно, но тогда как понять, что она вот просто так взяла да и подарила подруге почти полмиллиона рублей, чтобы та выкупила свою долю квартиры, я же тебе рассказывал?!

— Да, загадка... Вряд ли она стала тратить не принадлежащие ей деньги, за это ее по голове б не погладили. К тому же ты же сам рассказал, что ей эти деньги принесли в сумке, и соседка оказалась свидетельницей этому... То есть деньги ей принесли. Но, скорее всего, ее все-таки с кем-то перепутали. И теперь те люди, которые отдали ей эти деньги, разыскивают ее, чтобы вернуть свое. Вот она и сбежала.

— Я все понимаю, кроме одного: ну если ты влипла в такую вот криминальную историю, а у тебя муж — следователь, то не было бы логичным посвятить в это его, то есть меня?

— Ну, да, конечно, разумеется, как иначе! — растерянно пожал плечами Денис. — Но вот именно к тебе-то она почему-то и не обратилась. Ты предполагаешь, что она сейчас в Лазаревском... Логично было бы предположить, что, окажись она здесь с большой проблемой, она могла бы обратиться и ко мне! Адрес-то мой ей известен! Или к Насте, моей жене. Но поскольку к нам она не обратилась, смею предположить, что ее поездка сюда связана с другими людьми, с теми, кто имеет отношение к деньгам... Да уж, история на самом деле странная. И как ты предполагаешь ее искать?

— По гостиницам, частным пансионатам, я не знаю... Не на улице же она живет!

— Тогда поступим следующим образом. Сейчас мы поедем ко мне, Настя нас покормит обедом, и после этого начнем искать твою жену. Ты фотографии ее с собой взял?

— Целую пачку. Увеличил и размножил.

— Вот и отлично.

Денис с семьей проживал в большом уютном доме на центральной улице Лазаревского. Летом дом, окруженный террасой, был увит виноградом, и вся жизнь протекала на свежем воздухе. Жильцы-курортники занимали весь второй этаж, и Настя, жена Дениса, сама готовила им завтраки, обеды и ужины. Маленькая Соня на время курортного сезона перебиралась к бабушке на соседнюю улицу, в дом, где было спокойнее, не было гостей и все вокруг принадлежало и служило только ей, любимой и единственной внучке.

Сейчас же, зимой, садик и терраса казались голыми, неприглядными и мокрыми. Зато в теплой кухне вкусно пахло мясным рагу, свежими ватрушками, а в гостиной в камине полыхал огонь, и девочка-подросток, какой предстала перед Борисом Сонечка, пекла на решетке яблоки. Глядя на эту семейную идиллию, на улыбающуюся и выглядевшую спокойной и счастливой Настю, Борис еще горше переживал разлуку с Надей и вспоминал свои семейные будни, своих мальчишек, а думая о Наде, видел перед собой сосредоточенное, лишенное улыбки лицо жены, о которой, как выяснилось, он ничего-то и не знал.

Настю посвятили во все подробности дела, объяснили ситуацию, и она, попросив свою маму прийти и присмотреть за Соней, вызвалась помочь Борису в поисках подруги.

— Да она серьезный и ответственный человек! — воскликнула она, выслушав Бориса. — И если вот так странно сбежала, значит, у нее имелась на это причина. Я точно знаю, что она тебя любит и никогда бы не предприняла ничего против тебя. Скорее всего, все-таки эти деньги связаны с твоими делами! И на поезд она села не по своей воле. А то, что ты рассказываешь про Бузыгина — в это я не верю. Говорю же: не такой она человек, чтобы бросать свою семью и мчаться в неизвестность с любовником, которого официально уже нет в живых, к тому же... Да полный бред! Знаете что, мужчины, мы с Надей провели много вечеров вместе, о чем только не разговаривали, и она рассказала мне эту историю с уголовником, из-за которого чуть не села в тюрьму. Можете мне поверить, даже если предположить, что он жив, то никаких писем в тюрьму она ему не писала. Да она была рада до смерти, что выпуталась из этой истории, и очень благодарна тебе, Боря, за то, что ты помог ей тогда... Вы поймите, она же была школьница, встретила парня, тот запудрил ей мозги, стал ее первым мужчиной... Да она действовала как во сне! И никакая это была не любовь, а страсть, желание... А вот с тобой она узнала, что такое настоящая любовь, семья, уважение, словом, все то, ради чего и создается семья, понимаете? Она боготворит тебя, Борис! И очень, очень любит. Я понимаю тебя, ты сейчас в растрепанных чувствах и сам уже не знаешь, что подумать. Но поверь мне, когда ты встретишься с ней, дай ей возможность все объяснить и увидишь, что все не так страшно, как ты себе напридумывал. К тому же надо же учесть и психологию человека. Может, поначалу она подумала, что выпутается из этой ситуации сама, решила тебя просто не тревожить, понимаешь? А когда ничего не получилось, она побоялась уже обратиться к тебе, значит, не уверена была, что ты ее поймешь. А она очень дорожит вашими отношениями.

— Да мне бы только ее найти! — воскликнул в сердцах Борис, чуть не плача. Здесь, среди друзей, которые знали хорошо и Надю, он не скрывал своих чувств. — Я бы ей все простил.

— Вот видишь, — сказала Настя. — Ты априори уверен в ее виновности, и Надя это чувствует. К тому же она могла элементарно запутаться! Совершила одну ошибку, за ней последовала другая и... как принцип домино — все посыпалось, посыпалось одно на другое... И мне жаль, что она обратилась за помощью все-таки не к тебе, а к той своей землячке, Кате, о которой ты сейчас рассказал... Не к преданной и проверенной подруге, какая могла у нее быть, как у каждой нормальной женщины, а именно к человеку нейтральному, к этой Кате, просто потому, что они были из одной деревни, вроде не совсем чужие. Так ведет себя человек, заблудившийся в собственном одиночестве. И это неправильно. Я бы, окажись на ее месте, в любом случае обратилась к Денису. Вот десятерых человек убила бы, к примеру (тьфу, тьфу, тьфу!), и приползла бы только к нему. Потому что была бы уверена, что он меня поймет и поддержит.

— Значит, не такие уж доверительные отношения были между нами, — с горечью заключил Борис. — Другими словами, я сам во всем виноват.

— Ладно, Борис, ты не раскисай! — Настя ободряюще ему улыбнулась. — Теперь ты не один, мы с тобой. И если только Надя здесь, то мы ее обязательно найдем. Денис будет искать по своим каналам — профессиональным и мужским, я же — по своим, женским. Я тут многих знаю. Если Надя здесь, то, во-первых, она остановилась где-нибудь под чужим именем, и я знаю места, где это возможно сделать. Во-вторых, я знаю, какую она предпочитает кухню. И если только ее не держат где-нибудь насильно, то она наверняка появится в одном ресторане, что на самом берегу, там готовят дивные шашлыки с чесночным соусом, а я знаю там всех официанток. Дай-ка мне фотографию, я отправлюсь туда прямо сейчас.

— Денис, я вижу, что вас моя история чуть ли не развеселила... — заметил Борис. — Но вы должны понимать, что поиски Нади могут оказаться опасными. Настя, я верю в твой оптимизм и благодарен тебе за то, что ты готова мне помочь, но не забывай, что моя жена сбежала с сумкой, полной валюты!!!

— Тем более!!! — воскликнула Настя. — Человек с такими деньгами будет закупать продукты в самом дорогом магазине города и питаться в самом дорогом ресторане. Наверняка ее уже видели в торговом центре «Павловский» или в кондитерской «Ваниль». Если хотя бы где-нибудь ее заметили, то, будь уверен, я ее найду.

Настя быстро собралась и ушла. Денис, глядя ей в след, заметил:

— Найти-то она ее, может, и найдет, да только скажет ли нам об этом...

13. Антонина и Георгий. Лазаревское, 2014 г.

Просыпалась она тяжело, сказалась бессонная ночь, во время которой они с мужем принимали роды у четырех коз-мамочек. А одна коза, Машка, родила тройню! Козлята все были крепенькие, сразу встали на ножки и научились сосать материнское вымя.

Пока Тоня с Гошей принимали роды и ухаживали за роженицами, Сараевы, хозяева, крепко спали в своем доме, хотя обычно помогали с родами, не считая это чем-то зазорным.

Антонина понежилась еще несколько минут под одеялом, затем заставила себя встать, быстро оделась в теплую удобную рабочую одежду, заправила постель, подмела комнату и принялась готовить завтрак. Овсяная каша, сливочное масло, кофе и свежий хлеб, который должен был с минуты на минуту принести Георгий. Он всегда вставал раньше и уходил к животным, смотреть, все ли живы, все ли в порядке, а потом шел в булочную за хлебом.

Но в этот раз он что-то задерживался. Антонина занервничала. Может, черная коза Лизка не подпускает к себе своих козлят, как это было в прошлом году, пока они с Гошей не приучили ее стоять смирно и кормить своих деток. Наука простая: сразу после рождения козлят следует вымазать в материнской сукровице, чтобы мамаша определяла своих деток по запаху. Вроде ночью они сделали все правильно, и все козлята кормились самостоятельно. Тогда почему Георгий задерживается уже на полчаса?

Прошло два дня с тех пор, как к ним заявились эти девушки, одна из которых — чуть ли не родственница. И как же это ее угораздило забеременеть от Виталия? Как будто бы больше не от кого! Бедная девочка. Родила сама, без поддержки отца ребенка, можно себе представить, как же она намучилась, как много выслушала от окружающих людей, сколько осуждающих взглядов на себе вытерпела. А Виталий... Что ему? Человек был без принципов, жестокий, опасный, эгоистичный и вообще страшный. Стыдно сказать, но Антонина, получив из тюрьмы документ, свидетельство о его смерти, как-то успокоилась. Или даже обрадовалась, чего уж тут скрывать. Разве не по его вине они с Георгием лишились всего, вот абсолютно всего? Потеряли и дом, и хозяйство, превратились в нищих! И все эти долгие годы, умываясь слезами, занимались своими же козами, но уже в качестве практически рабов! Работа была тяжелая, трудная и не ограничивалась только уходом за животными. В то время, как Георгий пас стадо, Антонина прибиралась в доме своих хозяев, готовила им еду, гладила белье и выполняла абсолютно всю домашнюю работу. Все, что было в доме, начиная от стиральной машины и заканчивая мебелью, все досталось чужим людям. И никто не знал, разве что соседи и друзья, как больно было оставаться здесь и продолжать жить среди своих вещей и животных, но уже в качестве наемных работников.

Хорошо еще, что Сараевы оказались нормальными людьми, вовремя платили зарплату, помогали с продуктами и позволяли вдоволь пить козье молоко.

Сараевы поначалу увлеченно принялись заниматься хозяйством, им нравилось, что, потратив небольшие деньги, они живут в большом доме, что у них есть целое стадо коз, которое приносит им в сезон молоко, а значит, и деньги, но с каждым годом этот бизнес представлялся им все более убыточным и хлопотным, не говоря уже о том, что козы имели специфический запах, сильно раздражавший соседей. Лазаревское — курортный городок, и в летние месяцы только ленивый житель не пускал к себе отдыхающих. А кто захочет квартироваться рядом с козлятником? Соседи писали жалобы, конфликтовали с Сараевыми, хотя сами же охотно покупали у них молоко и мясо. Словом, вопрос был сложный и неоднозначный: ведь некоторые отдыхающие снимали квартиры на этой улице именно из-за того, что они были дешевле, да и молоком козьим гостей здесь поили бесплатно. Но шли годы, и Антонина с мужем, чувствуя настроение своих хозяев, мечтавших продать все хозяйство и купить большой дом-гостиницу в самом центре Лазаревского, боялись остаться без работы. Поэтому, когда в их присутствии кто-нибудь из супругов Сараевых (особенно Оксана, жена Матвея Ильича) начинал развивать эту тему, Тоня тихонько плакала, забившись в угол своей времянки, не представляя себе, что их с мужем может ожидать в таком случае. Если прибавить к этому и свое устоявшееся чувство вины перед мужем, ведь это ее родной брат Виталий пустил их, что называется, по миру, то в такие минуты жизнь Тони становилась и вовсе невыносима.

Георгий задерживался уже на сорок минут. Обеспокоенная его отсутствием, Антонина набросила на себя куртку с капюшоном и вышла в сад, пробежала несколько метров по засыпанной мелкой щебенкой дорожке к крыльцу «большого» (как они называли его про себя) дома, поднялась и позвонила. И только спустя несколько секунд обратила внимание на то, что все ступени крыльца вычищены ото льда и на тонком слое свежевыпавшего снежка что-то уж слишком много следов обуви. Может, к Сараевым приехали гости, и они вызвали к себе Георгия, чтобы помочь?

Бессонница дала о себе знать, сделала Антонину рассеянной: как это она до сих пор не догадалась позвонить мужу на мобильный телефон? Вот глупая!

Поскольку дверь в хозяйский дом никто не открывал, она достала телефон и позвонила мужу. И практически сию же секунду услышала знакомые позывные, музыку Гошиного мобильника, доносившуюся из открытой кухонной форточки дома. То есть в паре метров от Тони.

— Гоша! — крикнула она испуганно в форточку. — Ты здесь?

— Заходи, — услышала она голос мужа, удивилась, что дверь ей не открыли, и рванула ее на себя, сама зашла на голос Георгия. Куда же делись хозяева? Может, что случилось, кто заболел или, того хуже, умер? Тревога охватила Антонину, даже колени ослабли — настолько она не была готова к каким-то потрясениям.

Своего мужа она нашла в кухне, сидящим за столом с растерянным видом. Трудно было вот так сразу понять, расстроен он или нет. Лицо его было бледным, уголки губ опущены. Тоня вдруг увидела, как же постарел ее Георгий за последние несколько лет, как сильно поседели его густые черные волосы, а носогубные складки стали глубже, их словно прорезали ножом.

— Гоша, не пугай меня... Что случилось?

Она медленно подошла к нему и села на стул напротив. Заглянула мужу в глаза.

— Нет... Нет, только не это... — страшная догадка накрыла ее с головой. — Кому продали? Чужим? Пришлым?

Понимая, что мужу трудно отвечать, она вскочила и бросилась к лестнице, ведущей на второй этаж, в спальню хозяев, распахнула дверь и увидела, что кровать, супружеское ложе Сараевых, аккуратно заправлена, а в огромном платяном шкафу с распахнутыми створками — пусто. Только несколько сломанных пластмассовых плечиков висят на перекладине, старый полосатый галстук валяется на ковре, да ночная сорочка Оксаны лежит, скомканная, в кресле...

Уехали. Не предупредили. Просто бросили на произвол судьбы. Нелюди.

Она спустилась в кухню.

— Гоша... Ты застал их? Что они тебе сказали? Как объяснили?

И тут она увидела, как он на глазах приходит в себя, расправляет плечи, как начинают загораться его глаза, а рот нервно растягивается в улыбке. Господи, пронеслось у нее в голове, как бы его не хватил удар!

— Гоша, успокойся! Ничего страшного не произошло. Будем работать на других хозяев... Может, лучше будет...

— Тоня, все нормально. Вот, смотри... — и он достал из кармана сложенный вчетверо листок гербовой бумаги. — Ты же помнишь эту девушку... Ее зовут Надя. Та, что родила от твоего брата Виталия? Ты понимаешь, о ком я? Две девушки были позавчера.

— Да, конечно, помню, и что?

— А то, что это она купила дом и коз. Вот и документ.

Антонина не могла осознать услышанное. Какая-то нелепица. Дом — это еще куда ни шло. Но покупать коз?

— Я ничего не понимаю... Зачем им козы? Что они хотят?

— Тоня, я и сам мало что понял, особенно про коз... Но я повторю тебе то, что сказала мне эта Надя. Она приехала сегодня рано утром, показала мне эту купчую, сказала, что все выкупила у Сараевых и готова хоть сегодня переписать дом на тебя.

— Как это — переписать? В смысле — продать? Но у нас же денег нет...

— Она ничего не сказала про деньги.

— Подожди, подожди... И за сколько же она купила все это? И... где Сараевы?

— Помнишь тот дом на Янтарной с зеленой крышей, трехэтажный?

— Конечно, помню, его выставили на продажу в прошлом месяце... Гоша? Ты хочешь сказать, что Сараевы переехали на Янтарную?

— Да. Надя сказала, что вчера рано утром она встречалась с Оксаной и Матвеем, предложила выкупить у них наш дом, и они, недолго думая, согласились! О цене я ничего не знаю, но, думаю, цена их устроила, думаю, что они сразу же побежали дать задаток на Янтарную... Там же не дом — сказка, прямо на набережной!

— Гоша, я все равно ничего не понимаю...

— Надя, она же почти твоя родственница... Думаю, ей просто бабки девать некуда, вот она и решила подарить нам наш же дом.

— Но так не бывает, Гоша. Что она потребовала взамен?

— Сказала, что будет иногда приезжать сюда с детьми...

— Так у нее не один сын?

— У нее семья, дети, я так понял, что двое мальчишек...

— Думаю, что ты чего-то недопонял, Гоша.

— Так ты сама у нее спроси, когда она вернется. Она сказала, что у нее какие-то еще дела здесь... Думаю, она из этих, новых русских, может, у нее муж миллионер московский... Да какая нам разница? Главное, что она намерена оформить этот дом, повторяю, на твое имя!

— Ты чего-то недоговариваешь...

— Она ищет Виталия и не верит, что его нет в живых, — наконец признался он. — И что теперь делать — ума не приложу.

— В смысле?

— Ну, может, выдумать про Виталия, сказать, что он жив, что живет где-нибудь в Москве или Питере...

— А смысл?

— Да чтобы она не передумала! Ведь если она поверит в то, что его нет в живых, тогда какой ей смысл возвращать нам этот дом?

— А смысл очень простой, — вдруг услышали они и увидели в дверях Надю.

Антонина от неожиданного появления Надежды обмерла.

— Вы тринадцать лет горбатились здесь на чужих людей по вине Виталия... — сказала Надя серьезно и даже как-то торжественно. — Вам здесь знакома каждая козочка, каждый кирпич... А мне нужен дом в Лазаревском, за которым бы присматривали свои люди... Сначала я оформила этот дом на себя, а сейчас, если вы не против, мы все переиграем, и я подарю его вам, Антонина. Так будет всем удобно...

Тоня внимательно посмотрела на Надю. Бледная, сильно нервничает, явно не в себе, раз готова совершить такой странный поступок. Что с ней произошло, что заставило ее сделать им с Гошей столь щедрое предложение? Может, они чего-то не понимают, не улавливают? Или все дело в Виталии?..

— Нет-нет, мы не согласны... — сказала Антонина. — Пусть этот дом будет вашим, все, как положено, ну а мы, если вы позволите, останемся жить в своей времянке, будем ухаживать за козами, следить за хозяйством за зарплату, все, как и было... Надя? Что с вами?

Надя после ее слов стала еще бледнее и вдруг повалилась на бок, Георгий едва успел ее подхватить.

— Она потеряла сознание, — испуганно прошептал он. — Что будем делать?

— Пойдем, отнесем ее в спальню... Если через пару минут не придет в себя, вызовем «Скорую».

Георгий взял ее поудобнее и поднял в спальню, уложил на кровать.

— Знаешь, что, Гоша? Ты иди, а я тут посижу с ней... Думается мне, что она, быть может, нуждается в нашей помощи даже больше, чем мы в ней... Похоже, у нее проблемы...

14. Надя. Лазаревское, 2014 г.

Жизнь закручивалась спиралью, тугой, жесткой и беспощадной. Каждый прожитый вдали от семьи, мужа и каких-то обязательств час пунктиром обозначал очередную, сделанную на гребне эмоции ошибку, одной из которых стал внезапный отъезд из Лазаревского Жени Гольдман, урожденной Дунаевой. Ведь решили, что уедут вместе, вернутся в Саратов на перекладных, чтобы не засветиться в списках пассажиров всех возможных общественных транспортных средств, но какое-то настроение, что ли, было невероятно легкое, замешенное на желании поскорее покончить с неразберихой, либо что-то еще непонятное, но Женечка уехала одна.

— Надя, когда вернешься, — звони, — говорила Женя, обнимая дрожащую от нервного озноба или прохладного ветра Надю, подбадривая ее лучезарными улыбками. — Ты даже представить себе не можешь, как же я благодарна тебе за то, что ты есть, что ты взяла билет в соседнее купе, что впустила меня тогда к себе и позволила рассказать тебе свою судьбу. Если бы не твоя поддержка, пропала бы я, вернувшись домой с телом Гольдмана, честное слово. А сейчас я чувствую в себе такие силы, что мне все нипочем! Как-то все встало на свои места.

— Главное, что он умер своей смертью, а потому тебе нечего бояться. Вали все на эмоции, на шок, скажи, что не помнишь, как и где сошла с поезда и как оказалась в Лазаревском... Для страховки запишись на прием к психиатру, мало ли... Но я больше чем уверена, что по возвращении, когда ты встретишься с сыном Гольдмана и официально откажешься от наследства, все о тебе сразу же забудут. Словно тебя и не было. И ты вернешься к нормальной жизни.

— А ты? Ты не передумала возвращать этот дом Антонине?

— Нет. Не представляю себе, как я ей это объясню, но чувствую, что должна это сделать. Эти деньги... Их словно специально подбросили мне для того, чтобы я как-то очень правильно распределила их. И, что самое важное, чтобы я никогда об этом не пожалела. Обстоятельства вырвали меня из привычной жизни и забросили вот сюда, вместе с тобой... И это не случайно. Впрочем, как и все в нашей жизни.

— Да все понятно...

Они прощались все на той же террасе ресторана «Прибой» и разговаривали как-то очень торопливо, куда-то, непонятно куда спеша. И солнце, смешавшись с ветром, трепало их длинные волосы.

— Честно скажу тебе: лично я испытала шок, когда Антонина сказала тебе, что Виталия уже давно нет в живых. А ты, что ты почувствовала в этот миг? — допытывалась Женя. — Боль или наоборот — облегчение?

— Ты хочешь честно, вот и получай правду: облегчение! Хотя оно тут же сменилось удивлением, недоумением и даже страхом. Спрашивается, кто же тогда прислал мне эти деньги?

— Но если ты до сих пор предполагаешь, что они связаны с «меншиковским» кладом...

— А как же не предполагать, если в банке — старинные броши?

— Но может, это броши не петровского времени, ты же не специалист?

— Ну и ладно... Все равно когда-нибудь все разъяснится. Само собой.

— Это как же?

— Меня просто найдут. Найдут и спросят: ты куда растратила наши деньги?

— И что ты тогда будешь делать?

— Ничего. Понимаешь, Женечка, в моей судьбе так долго ничего не происходило, что сегодняшнее проявление жизни, ее движение пьянит меня... Не знаю, как это объяснить. Словом — мне ничего уже не страшно.

— Может, мне остаться?

— Нет, ты должна уехать. Ты — драгоценная встреча, подаренная мне судьбой. Ты — одна из страниц этой безумной поездки, этого сумасшедшего бегства... И я очень хотела бы, чтобы ты приняла у меня деньги, несколько тысяч евро, хотя бы на первое время... Ты же видела, у меня полная сумка... Семь бед — один ответ. Ты понимаешь меня?

— Денег я у тебя не возьму. Ты же знаешь, что у меня есть наличные, оставшиеся мне от мужа... За меня не переживай. Я вернусь домой, к родителям, устроюсь на работу, и все будет у меня хорошо! Вот только за тебя буду волноваться. Скажи, что я могу для тебя сделать? Может, мне навестить твоих деток? Или зайти к свекрови? Может, передать чего? Сказать? Или встретиться с твоим мужем и успокоить его, сказать, что ты жива и здорова?

— Не думаю, что это хорошая идея. Мой муж наверняка решил, что я сбежала от него... У нас все сложно... И я уже не знаю, хочу ли я его вообще увидеть, не говоря уже о том, чтобы вернуться к нему. Я завершу здесь начатое с этим домом, верну

Антонине и ее верному мужу их хозяйство, а потом посмотрю, что делать... Быть может, меня ждет еще не одна встреча...

— Ты что-то от меня скрываешь.

— Каждый человек что-то скрывает. Даже от себя.

И только после того, как фигурка Жени скрылась за углом ресторана и Надя осталась на террасе совсем одна, не считая продрогшей официантки, готовой выполнить любую ее просьбу, она вдруг поняла, что совершила еще одну ошибку. С каждой перевернутой страницей событий она становилась слабее. Бешеная гонка жизни утомила ее. А впереди поджидали еще какие-то новые встречи, впечатления и опять же — ошибки... Хватит ли у нее сил все преодолеть? С Женей она чувствовала себя увереннее, сильнее, вместе с ней они находили вполне осмысленное объяснение своих импульсивных поступков, поддерживали друг друга на скользкой тропе абсурдности происходящего. И во всем этом был какой-то порядок. Сейчас же, когда Женя ушла, вернее, когда Надя отпустила ее, считая не вправе и дальше подвергать ее жизнь опасности, ощущалось ледяное дыхание страха.

Женя. Внимательная и умная. *«Ты что-то от меня скрываешь»*, — сказала она. От нее не ускользнуло, вероятно, то, с какой уверенностью Надя перемещается по Лазаревскому, как хорошо ориентируется на местности. Еще бы! Сколько лет они приезжали сюда всей семьей, наслаждаясь этим раем на земле, этими красивыми комфортными домиками и роскошной растительностью, мечтая когда-нибудь достигнуть такого уровня благосостояния, чтобы хотя бы к старости перебраться сюда, купив жилье с садом.

Мечта эта появилась не без участия их друзей, молодой пары — Дениса и Насти Тришкиных. Именно у них, в их доме, молодая семья Гладышевых остановилась в свой первый приезд в Лазаревское, и благодаря их гостеприимству и душевным качествам этот отдых стал незабываемым, приятным во всех отношениях. Не очень-то общительный Борис быстро нашел общий язык со своим коллегой (следователем!) Денисом, Надя же подружилась с веселой и отзывчивой Настей.

Знала бы об этом Женя, очень удивилась бы, как это Надя, оказавшись в Лазаревском, до сих пор не встретилась со своей подругой, не попросила у нее помощи хотя бы в розыске Антонины.

А все объяснялось очень просто: Надя не знала, как сказать этим хорошим, честным и славным людям, что она забыла здесь, в январе, да еще и без мужа. Было стыдно, потому как она, постоянно представляя себе их пусть даже и случайную встречу, не могла подобрать нужных слов, а лгать им в глаза, что-то выдумывать — просто не имела права. Не такие они люди, чтобы вводить их в заблуждение. К тому же Денис очень уважает Бориса, и просить его сохранить от него в тайне ее приезд в Лазаревское она тоже не посмеет.

С уходом Жени исчезло такое ценное в ее ситуации чувство уверенности в правильности поступков. Быть может, поэтому, решая вопрос с возвращением Антонине ее дома, Надя решила поступить таким образом, чтобы сделка выглядела совершенной более-менее здравомыслящим человеком, а не безумной особой, не знающей, куда вложить свои деньги. То есть оформить дом со стадом коз сначала на свое имя, а уж потом — на Агашевых. Объяснить Тоне покупку дома своей давней мечтой и, одновременно, невозможностью следить за хозяйством постоянно, поскольку в Лазаревском они будут жить самое большее месяца два в летний сезон.

И все равно, если при таком раскладе покупка дома и не вызывала особого подозрения, то уж покупка стада коз выглядела настоящим безумием.

Но и оформлять все хозяйство сразу на Агашевых означало бы поставить их в неловкое положение, не говоря уже о тех недоумении, удивлении и подозрении, которые были бы вызваны таким поступком.

Но решать проблемы Надя решила по мере их поступления, а потому наметила план действий, первым пунктом которого был разговор с семейством Сараевых, в результате которого они должны были согласиться продать дом.

Надя вся выложилась, чтобы убедить совершенно незнакомых ей людей принять ее предложение, даже и не предполагая, что к моменту разговора они сами, по личным причинам, уже готовы были продать свою прошлую жизнь, чтобы, добавив несколько миллионов рублей, купить новую, в виде уютного особнячка на Янтарной улице. Чудо совершилось — их желания совпали.

На вопрос хозяина, Матвея Ильича, зачем ей понадобился дом в Лазаревском в придачу с козами (в то время как там можно было купить великое множество домов без коз), она сказала, что даст ответ лишь после подписания договора купли-продажи. Когда же они втроем — Матвей, Оксана и Надя — вышли из нотариальной конторы, Надя, помахав договором перед носом чуть ли не приплясывающей от радости парочки, сказала всего одну фразу:

— Во всем должна быть мера... Даже в жестокости...

Понятное дело, что Сараевы так ничего и не поняли. Надя же, посчитав первый пункт плана выполненным, хорошенько выспалась в гостинице под шум ветра и легкой южной метели за окнами номера, а ранним утром уже отпирала дверь принадлежащего ей по закону дома в Рыбацком переулке своими ключами.

Странное это было состояние вторжения в чужую жизнь, в чужую проблему, в чужую боль... Какие чувства должны были испытывать все эти годы Антонина с Георгием, переступая порог собственного дома, который был так жестоко и цинично отнят у них братом Антонины — Виталием. Какая драма была пережита ими! Да любой другой мужчина на месте Георгия уже давно бы бросил жену, брат которой сделал его нищим. А вот они выстояли, сохранили семью и свою любовь.

Интересно, как бы повел себя на месте Георгия ее Борис? Способен ли был все забыть, простить жену за то, что у нее такой брат-преступник, и начать жить с чистого листа и, одновременно, в таких угнетающих декорациях?

Думая об этом, она вдруг поняла, что с каждым днем жизни без мужа его личностный портрет становился все бледнее и бледнее...

А еще она вдруг поняла, как же много вокруг беды! И как тяжело человеку жить самому, без пары, без надежного и преданного спутника, без опоры!

Сегодняшнее ее положение в такие минуты глубоких раздумий казалось легкой авантюрой, не более. Подумаешь — бегство в никуда с миллионом евро! Это не болезнь, не смерть... Скорее, проверка на прочность их отношений с Борисом.

...Георгия Агашева она заметила сразу, едва он вышел из времянки и направился к калитке. Распахнув окно в кухне, где был устроен спокойный наблюдательный пункт, она тихо окликнула его. Увидев ее в окне, он удивился, быстро вошел в дом.

— Они уехали. Дом — ваш, — сказала она ему торжественно, вручая нотариальный акт и устно выдавая одну из своих версий покупки дома и передачи его семье Агашевых.

А потом она почувствовала дурноту, извинилась и вышла. За калиткой ее вырвало. Затем еще раз. Она вспомнила один фильм, который смотрела не так давно, где главную героиню тоже начало беспричинно рвать. И хотя все как бы указывало на ее беременность, на деле оказалось, что ее тошнит просто как бы от самой жизни. Психология.

Извергнув из себя содержимое желудка, Надя еще какое-то время бродила по улицам, не понимая, что с ней происходит, пока ноги сами не привели ее в Рыбацкий переулок.

Она вошла в дом как раз в тот момент, когда Антонина пыталась выяснить у своего мужа детали продажи дома. Она задавала совершенно правильные вопросы, и Георгий с трудом находил для нее удобоваримые ответы. Когда же Тоня спросила его, какой смысл Наде возвращать им дом, Надя решила ответить на тот вопрос сама: «А смысл очень простой. Вы тринадцать лет горбатились здесь на чужих людей по вине Виталия... Вам здесь знакома каждая козочка, каждый кирпич... А мне нужен дом в Лазаревском, за которым бы присматривали свои люди... Сначала я оформила этот дом на себя, а сейчас, если вы не против, мы все переиграем, и я подарю его вам, Антонина. Так будет всем удобно...»

Понимая, что ее объяснение звучит неубедительно, что все вокруг складывается крайне нелепо и ужасно глупо, что жизнь загнала ее в какой-то душный тупик, из которого некуда и не к кому идти, она вдруг увидела гигантских черных мух, которые закружились прямо перед ее внутренним взором, а потом кухня перевернулась, и Надя полетела в пропасть...

Она пришла в себя уже вечером, и первым человеком, которого увидела, была Антонина.

— Где я? — спросила Надя, оглядываясь и понимая, что лежит на кровати в больничной палате.

— В больнице, Наденька, — подтвердила Тоня. Она выглядела испуганной и смотрела на Надю глазами человека, уверенного в том, что он виновен во всем плохом, что произошло на данный момент в мире.

— А что со мной?

Судя по тому, что за окном небо потемнело до темно-лилового оттенка, день плавно переходил в ночь.

— Доктор сказал, что у вас нервное истощение. Сначала он предположил, что вы беременны, но это не подтвердилось...

Она лежала под системой. Капля за каплей к ней, из опрокинутой бутылки с прозрачным коктейлем из жизненно важных препаратов, возвращались здоровье и силы.

Спустя полтора часа Антонина с Георгием уже везли ее домой. Как драгоценную гостью, как родственницу, как близкого и родного человека. И был ужин в кухне, где Тоня тринадцать лет назад последний раз чувствовала себя хозяйкой, был долгий задушевный разговор, в результате которого Надя призналась им в том, что никакого ребенка она от Виталия не рожала. Рассказала все, как есть, скрыв лишь сумму переданных ей незнакомцем денег.

— И ты решила, что эти деньги тебе передал Виталий? — Антонина горестно покачала головой.

— Ты ешь, ешь, Наденька, — Георгий положил ей в тарелку еще одну жареную куриную ножку с рисом. — Какая-то просто невероятная история!

— Мой брат не был способен на подобный поступок, уж можешь мне поверить, — сказала Тоня.

Она раскраснелась от выпитой водочки, от волнения и внезапно свалившейся на нее радости, и теперь мысли ее были направлены исключительно на Надю, на то, чтобы уберечь ее от беды.

— Обещай мне, что больше никому не расскажешь об этих деньгах, — сказала она, крепко хватая Надю за руку и сжимая до боли. — Ты не блаженная, случаем? Разве можно вот так, незнакомым людям рассказывать о таких деньжищах? Убьют, ограбят, даже бровью не поведут!

— Но я же и не собиралась... Но потом, когда я решила переписать дом на вас, как бы я объяснила вам это? Я запуталась, Тоня, совсем...

— А если окажется, что ты взяла чужие деньги и тебе нужно будет их отдать?

— Вас-то это никак не должно волновать.

— Так тебя же могут за это убить!

— Мне уже все равно...

Она не лукавила. Ее состояние к тому времени было близко к очередному кризису и, одновременно, к какому-то простому и легкому решению, но вот поймать его за хвост пока не удавалось. Основная мысль постоянно ускользала.

— Что ты намерена делать? Возвращаться в Саратов, к мужу?

— А что я ему скажу?

— Расскажешь ему все как есть. Если любит тебя — поймет и простит. А если нет...

— Наверное, вы правы... Я что-нибудь придумаю.

— Может, тебе вложить оставшиеся деньги еще куда-нибудь, купи еще один дом или яхту, я не знаю... — рассуждал опьяневший и счастливый в своем новом статусе хозяина дома Георгий. — Чтобы, если тебя попросят вернуть эти деньги, ты смогла сделать это хотя бы частично... К тому же к сезону цены на дома снова поднимутся... Ты подумай, Надя, подумай. Но история действительно какая-то невероятная. Прямо киношная, приключенческая!

— Если честно, то я вот отдала бы все вам и вернулась домой, забыла обо всем, что со мной случилось за эти последние дни... Но вы ведь не возьмете на себя такую ответственность, я права? Таким образом я бы подставила и вас!

— Не возьмем, — трезвея на глазах, вероятно, от представленного, уверил ее Георгий. — Раз тебе было поручено кем-то сверху распоряжаться этими деньгами, вот и веди свое дело до конца. Может, все уладится само собой...

Неопределенность, недосказанность, растерянность, смутные догадки о приближающейся страшной развязке не позволили пролиться настоящему, безоглядному счастью Агашевых.

Надя же, после сытного и жирного ужина, водки и вина, уснула как убитая. И сон ее был крепким, почти детским. А на следующее утро все трое поехали к нотариусу, чтобы переоформить дом и стадо коз на Агашевых. Так был закручен еще один виток спирали, спирали, которая должна была вот-вот лопнуть...

15. Настя. Лазаревское, 2014 г.

Приезд Бориса немного спутал планы Насти и прибавил работы, но, с другой стороны, она почувствовала необычайный прилив сил. А еще, в который уже раз, стыдно было признаться себе в том, что у нее-то все хорошо, а потому она не могла не помочь всем тем, кому очень плохо, просто невыносимо. Конечно, она не волшебница какая и не святая, она — обыкновенная женщина, но уж позаботиться о голодной и больной подруге всегда сможет. Пусть все вокруг будут осуждать ее, она все равно не даст ее в обиду. И какие же все вокруг жестокие!!!

Ирочку Данилову бросил муж, Игорь. Крупный бизнесмен, самовлюбленный подлец. Выгнал Иру из дома, забрал детей и теперь живет вместе с новой, совсем молоденькой женой, в их особняке на Набережной. Все женщины Лазаревского знают эту историю, и никто не верит, что Игорь застал Ирину в объятиях своего водителя. Однако водителя он уволил, Юрка исчез, поговаривают, что он уехал куда-то, чуть ли не на Север, а Ирину бывший муж решил поселить в старом молочном ларьке, что на окраине базара. Раскладушка, электрический обогреватель, какие-то старые одеяла, пластиковая посуда — вот и весь ее предполагаемый быт...

Ирочка Данилова — настоящая красавица, и супруги жили, что называется, душа в душу. Ирина родила двух малышей-погодков, мальчика и девочку. Отстроили огромный дом, купили поблизости от него отель с бассейном, бизнес пошел в гору, Игорь выкупил помещение старой бани и переоборудовал в дорогую и комфортную сауну. И вдруг эта история с его водителем Юрой. Кто ему рассказал об этом? Кто видел их вместе? Никто ничего не знает. Настя, живущая напротив дома Даниловых и наблюдавшая жизнь молоденькой Ирочки со стороны, то есть даже не будучи ее подругой, испытала настоящий шок, когда увидела, как Данилов буквально взашей выталкивает ее из дома и усаживает в машину, полуголую, заплаканную, захлебывающуюся слезами и выкрикивающую имена своих детей, с которыми ее, судя по всему, разлучили.

Эта сцена была настолько отвратительна, что Настя, которая, наблюдая за всем происходящим из окна своей кухни, выключила огонь под кастрюлей с недоваренным борщом, набросила на плечи куртку, заперла дом, села в машину и последовала за черным джипом, увозящим Ирочку в неизвестном направлении. И была просто потрясена, когда увидела, куда же ее привезли — в какой-то холодный выстуженный ларек с разбитыми окнами. И это в декабре, накануне Нового года! Наверное, не так мечтала эта молодая женщина встретить праздник со своими детьми. Уже и елка была наряжена и переливалась разноцветными огнями за прозрачными шторами гостиной, Насте было все хорошо видно. Наверняка были приготовлены и подарки для детишек. И тут вдруг этот скандал!

Игорь, разъяренный, вытащил Иру за руку из машины, рывком, чуть не вывернув ей плечевой сустав! И при этом матерился, кричал на нее, готов был даже ударить!

В распахнутом розовом халатике, едва прикрывавшем тоненькую ночную рубашку, босая, Ирина, карабкаясь по заледеневшему холмику, в летнее время бывшему заброшенной альпийской горкой, упала, содрала себе коленки, поранила ладони.

Джип быстро развернулся и уехал.

Настя, машину которой Данилов почему-то даже не заметил, вышла на тротуар, поднялась к Ирине и помогла ей встать.

— Что случилось? — спросила она, вглядываясь в побелевшее лицо молодой женщины.

— Я не знаю... Он говорит, что у меня был роман с Юрой, нашим водителем, но ничего не было никогда, я чиста перед Игорем... Он забрал детей, выгнал меня... А куда я пойду? Мои родители живут в деревне под Тамбовом. Конечно, я могла бы туда поехать. Но дети? Это же мои дети! Как я могу оставить их с этим сумасшедшим отцом? Да и вообще, мне кажется, что это сон, кошмарный, непрекращающийся сон...

Она посмотрела на свои ободранные, окровавленные ладони и осторожно отвела ими пряди спутанных светлых волос от лица.

— Поедемте ко мне, вам здесь нельзя оставаться.

— Он сказал, что это теперь мой дом, — Ира качнула головой в сторону ларька.

— Меня зовут Настя. Я ваша соседка...

— Да я поняла, мы же столько раз виделись...

— Садитесь в мою машину, поторопитесь, а то простынете... А детям нужна здоровая мать.

Настя помогла Ире сесть в машину и привезла домой. Наполнила ванну горячей водой, подтолкнула впавшую в странно-апатичное состояние Ирину к ванне, сунув ей в руки большое мягкое полотенце.

— Ира, давай, забирайся в воду и грейся, а я приготовлю тебе чего-нибудь поесть и выпить. Тебе главное сейчас — не простудиться.

Пока Ирина находилась в ванной комнате, на обед приехал Денис.

— Борщ не готов, Денис, я подогрею тебе котлеты, хорошо?

И Настя рассказала мужу об Ирине Даниловой.

— Я тебе так скажу, Настя. Ты бы лучше не влезала в семейные дела... Может, этот Данилов сгоряча отвез ее туда, к этому ларьку, вот он сейчас вернется, а ее там нет... Мы же ничего о них не знаем!

— Денис, ну как это — не знаем? Этот Игорь — известный в городе бизнесмен.

— Настя, да здесь, на нашей улице, может, я один не бизнесмен, а так, оглянись, все понастроили себе дома, разбогатели... Ну, поссорились муж с женой, муж устроил жене сцену ревности, выгнал из дома...

— Ты странно так рассуждаешь! Что же это, мне надо было оставить ее там, на снегу, на базаре? Чтобы она замерзла, подхватила воспаление легких? У нее маленькие дети! К тому же она сказала мне, что ни в чем не виновата!

— Ладно, Настя, поступай как знаешь. Конечно, пусть она пока побудет у нас, придет в себя, а потом решим, как с ней поступить.

— Ну вот, хотя бы по-человечески заговорил... Хочешь, я тебе еще котлетку подогрею?

Денис уехал на работу, Настя же, радуясь тому, что муж одобрил присутствие в доме Ирины, принялась ухаживать за ней с пущим рвением. Накормила, даже заставила ее поесть, потом одела в удобную домашнюю одежду и уложила в постель. Немного придя в себя, Ирина рассказала, что муж в последнее время очень изменился к ней, что все их общие знакомые в один голос твердят, что у него появилась любовница, совсем молоденькая. Что

Юра, водитель, просто очень хороший парень, который всегда готов был прийти ей на помощь. Они всегда вместе ездили на рынок и по магазинам за покупками, когда нужно было, он мог разрубить мясо или курицу, наколоть дров для камина, словом, обычная работа, дружеские отношения. Может, конечно, она и нравилась Юре, но с ее-то стороны ничего не было, не говоря уже об измене. Настя слушала ее и верила каждому ее слову, сопереживала, сочувствовала, даже организовала встречу с адвокатом, который смог бы проконсультировать Ирину по части возвращения ей детей.

История обыкновенная, случающаяся зачастую в богатых семьях, где на смену большой и страстной любви приходят предательство и желание зарвавшегося мужчины порвать со своим прошлым и начать новую жизнь с новой женой. И при этом оставить себе детей, вычеркнув напрочь из своей жизни бывшую супругу.

Несколько дней Ирина жила в доме Тришкиных, наблюдая из окон жизнь своей семьи, видя гуляющих с няней детей и не смея выдать свое присутствие. Несколько раз видела она, как ее муж подъезжает к дому в своем джипе, на переднем сиденье которого сидит незнакомая ей девушка. Нервы Ирины сдали, и она слегла, отказывалась принимать пищу, Настя была просто вынуждена вызвать врача, была нанята медицинская сестра, которая ставила Ире капельницу с волшебными восстанавливающими и успокаивающими коктейлями.

Все это начало раздражать Дениса, который продолжал считать, что они с Настей не имеют права так активно вмешиваться в чужую семью. Однажды подобное высказывание услышала Ирина, сорвала с себя все трубки, оделась и выбежала из дома. Настя ее едва поймала, вернула, уложила в постель...

Словом, с Ириной было очень много хлопот, сложностей, пока Денис не взял инициативу в свои руки, не встретился с Игорем Даниловым и не поговорил по-мужски. Он выяснил, что у Игоря вполне определенные цели в жизни: оформив развод с Ириной, отсудить у нее детей и жениться на другой женщине. В случае если Ирина добровольно, без борьбы, отдаст ему детей, то есть откажется от них, он оформит на ее имя небольшую квартирку на улице Партизанской, в розовой многоэтажке. Иначе ее домом станет все тот же пресловутый ларек с разбитыми окнами и фанерными стенами.

Денис, уже сто раз пожалевший о том, что поддержал Настю в желании помочь Ирине, и по-настоящему разозлившийся на бессердечного Игоря, позволил тем не менее Насте открыть закупоренный на зиму второй этаж и подготовить для Ирины комнату, предварительно протопив ее автономным газовым котлом. Вражеский лагерь, разбитый напротив, в роскошном особняке Даниловых, моментально отреагировал на этот шаг визитом к Тришкиным адвоката, целью которого было объяснить строптивой и неверной жене на пальцах всю тщетность ее попыток вернуть себе детей. Отсутствие жилья, работы и средств к существованию и на самом деле не оставляли никакой надежды на успех дела.

— Денис, — умоляла Настя мужа, — давай дадим ей денег на адвоката, ну хотя бы что-нибудь сделаем для нее... Ведь погубит он ее, а у нее здоровье слабое...

— Во-первых, адвокат нужен хороший, а это немалые деньги. Во-вторых, Данилов наверняка подкупит судью. И, в-третьих, чтобы выиграть дело, она должна иметь документ, свидетельствующий о том, что Ирина работает, что у нее хороший заработок, которого хватит не только на хлеб и молоко, но и на то, чтобы снять приличное жилье. И где она сейчас сможет найти такую работу?

Тем не менее адвоката нашли, денег для него собрали. Настя обошла все кафе и рестораны, куда могли бы взять на работу Ирину, но все было бесполезным — январь, мертвый сезон для приморских курортов.

Вот в один из таких дней, вернувшись после безуспешных поисков работы для Ирины, которая все еще находилась в ослабленном физическом и психологическом состоянии, Настя поставила на плиту чугунок с мясным рагу, приготовила сдобное тесто для ватрушек и позвала свою дочку, одиннадцатилетнюю Соню, помогать ей с ужином.

— Как там Ирина? — спросила Настя у Сони, зная, что девочка в ее отсутствие всегда приглядывала за больной. — Спала? Читала?

— Плакала снова... А потом ей позвонил Юра, тот самый водитель, которого этот Данилов прогнал... Я как раз была там и слышала, о чем они говорили. Ирина плакала, говорила, что Данилов придумал всю эту историю специально, чтобы избавиться от нее, потому что он собирается жениться на другой. А Юра ее успокаивал, а потом сказал ей что-то такое, от чего она еще больше расстроилась. Кажется, его обокрали где-то в аэропорту, что ли, а он хотел вернуться сюда, к нам в Лазаревское. Она сказала ему, что постарается при помощи няни забрать из дома шубу, продать ее и выслать ему деньги на дорогу... Ма, по-моему, этот Юра любит нашу Ирину.

— Я бы не удивилась, — ответила Настя. — Почему бы ее не полюбить? Игорь тоже, наверное, ее очень любил, и такое чувство было сильное, что двух детей родили, дом построили... И вдруг раз — и разлюбил. Не понимаю я таких мужчин... Да, жаль, что Юра этот уехал. Раз уж так все получилось, то хотя бы он ее защитил...

— А я так думаю, — сказала рассудительная и очень внимательная Сонечка, начиняя яблоки орехами с медом и укладывая их на противень, — что Юра этот не по своей воле уехал, что ему, быть может, этот Данилов пригрозил, мол, не уедешь — убью. Хотя точно-то никто не знает... Но вот я бы на его месте вернулась бы к Ирине. Особенно если бы любила...

— Соня?!

Соня покраснела, смутилась.

А через полчаса в доме появился еще один гость. Удивительный и приятный. Борис Гладышев собственной персоной!

История, которую он рассказал, потрясла Настю и расстроила. Предполагая, что его жена Надя находится в Лазаревском, что она попала в какую-то странную или даже опасную историю, он хотел только одного — найти ее как можно скорее.

Настя позвонила маме, попросила присмотреть за Соней и Ириной и всю свою энергию, всю сообразительность направила на поиски Нади.

Уж кто-кто, а Настя очень хорошо знала Надю, быть может, даже лучше, чем ее муж, Борис. Оставалось только одно — понять, к кому она сюда приехала. Или с кем.

То, что Надя и Борис — не пара, Настя поняла еще в их первый приезд в Лазаревское. Внешне — чудесная семья, замечательные, веселые люди, они не были счастливы именно как мужчина и женщина — вот это было важным. Борис любил Надю, заботился о ней, но за столько лет брака так и не понял, что нелюбим. Что Надя вышла замуж за Бориса из чувства благодарности за то, что он спас ее от тюрьмы. Не догадывался Борис и о том, что все те годы, что они жили вместе, она находилась в постоянном напряжении и играла роль женщины, которую он хотел бы видеть. Другими словами, подыгрывала ему, испытывая при этом чувство, похожее на презрение или даже брезгливость по отношению к мужу.

И это счастье, что Наде в Лазаревском повстречалась именно Настя, человек, близкий ей по духу, открытая, эмоциональная, веселая, которая поняла ее и помогла стать самой собой хотя бы на время. Здесь, в Лазаревском, под раскаленным солнцем, ласкающим ее нежную кожу, освобожденная от забот о детях, которых они оставили дома свекрови, Надя в компании Насти позволила себе расслабиться и отдохнуть душой и телом.

Тихая и неразговорчивая в присутствии мужа, на вечерней набережной, в праздничной суматохе кафешек, ресторанов, громкой музыки, пряных ароматов и вина, Надя, распустив по плечам свои роскошные огненные волосы, так отплясывала зажигательные танцы, что топчущийся под музыку молодняк расступался, любуясь ее гибким стройным телом, длинными ногами на огромных шпильках, ее бедрами, обтянутыми прозрачным коротким платьем... Надя в такие моменты была олицетворением самой музыки, и тысячи разноцветных огней, собранные в гирлянды по всему берегу, отражались в ее блестящих золотых волосах, плясали в блестящих зрачках.

В один из таких вечеров, когда они с Настей ужинали вдвоем в кафе, где за соседним столиком оживленно беседовали их мужья, Надя с оглядкой рассказала ей о своей безумной, просто сумасшедшей любви к Виталию — преступнику и убийце. Она вполне реально оценивала степень своего безумия, когда согласилась отправиться с ним на поезде в дальние дали, понимала она, что полюбила настоящего преступника, зверя, но ничего не могла с собой поделать, настолько сильное было ее чувство к этому парню. Она, еще школьница, однако по натуре страстная, темпераментная, с горячей кровью в жилах и ветром в голове, воспитанная на книгах романтического толка, попала в историю, воспринятую ею в качестве средневекового плутовского романа, где главным героем является обнищавший рыцарь или бродяга. Современная же Россия — это вам не средневековая Испания с ее симпатичными персонажами в духе «Селестины» или

«Дон Кихота», и автор этой истории — сама жизнь, жестокая, обманчивая, беспощадная... И это просто счастье, что на нее, по сути соучастницу преступления, обратил внимание молодой Борис Гладышев и каким-то невероятным образом сумел помочь ей выпутаться из этой кровавой истории.

Слушая ритмичную музыку и сдерживаясь из-за близкого присутствия рядом мужа, Надя призналась Насте, что очень любит танцевать, петь, рисовать, что, когда мужа дома нет, она просто на стенку лезет, включает музыку на всю громкость и, как она выразилась, «бесится», танцует и даже делает акробатические номера!!!

— Во мне, Настя, столько энергии, что я просто пухну, раздуваюсь и скоро, наверное, лопну! Вот сбегу от Бориса с детьми, куплю самую дешевую машину и отправлюсь с ними путешествовать, бродить, будем питаться тем, что Бог пошлет... Я даже готова отправиться в Москву, чтобы петь и танцевать в переходах. Или же... Знаешь, еще я люблю готовить, и мне всегда хотелось открыть небольшой ресторан вроде того, что напротив вас... Понимаешь, мне хочется свободы, я бы там все так устроила! Украсила! И такие бы блюда придумала! У меня там всегда звучала бы веселая, позитивная музыка, там был бы всегда праздник! Мне нужно что-то делать...

...И вот теперь выясняется, что она здесь, в Лазаревском Значит, все-таки не выдержала, сбежала.

Но если это так, то она нуждается в помощи. И это не Борису надо помогать, а ей, Наде!

Как это она сразу не сообразила и зачем пообещала помочь? Хотя, а как иначе она должна была себя вести? Показать ему, что она на стороне беглянки? Нет, она все сделала правильно. И теперь ее задача найти Надю первой.

«*...Если Надя здесь, то, во-первых, она остановилась где-нибудь под чужим именем, и я знаю места, где это возможно сделать. Во-вторых, я знаю, какую она предпочитает кухню. И если только ее не держат где-нибудь насильно, то она наверняка появится в одном ресторане, что на самом берегу, там готовят дивные шашлыки с чесночным соусом, а я знаю там всех официанток. Дай-ка мне фотографию, и я отправлюсь туда прямо сейчас...*»

Вот сразу выдала всю информацию, все свои мысли, предположения, наводки. Правильно Денис говорит, она сначала говорит, а потом думает. Чистая правда!

Но в ресторанах на берегу она уже сегодня была, когда искала работу для Ирочки Даниловой. Многие из них закрыты, а те, что открыты, принимают редких гостей.

«Вот здесь готовят самый вкусный шашлык!» — Настя вспомнила, о каком ресторане сказала тогда Надя. И именно этот ресторан она сегодня пропустила. Подумала, что уж там точно нет свободных мест официантки, не говоря о посудомойке — ресторан в январе переживает не самые лучшие времена, а содержать его дорого.

Настя потеплее оделась и вышла из дома. Не успела она выйти из ворот, как зазвонил телефон. Это была ее подруга, Таня Масленникова. Как не вовремя!

— Да, слушаю тебя.

Таня в трубку хрипела и хлюпала носом. Все понятно, простыла. Попросила заглянуть, а заодно принести баночку меда. «Я куплю, ты не думай!»

И зачем только Настя всем растрезвонила, что у нее в кладовке целая полка занята ценным медом из аула Большой Кичмай, причем разных сортов: каштановый, липовый, кленовый, акациевый. Тане нужен был, конечно, каштановый.

— Ладно, подруга, я к тебе сейчас зайду, скажи, что еще купить в аптеке, но все оставлю на крыльце, подниматься не буду. Боюсь заразиться, а у меня семья, да и вообще мне сейчас никак болеть нельзя!

Таня ответила, что все лекарства у нее есть, главное, чтобы она пришла и принесла мед.

Настя вернулась в дом, мужчины еще разговаривали в кухне. Она заглянула в кладовку, взяла варенье из земляники, баночку каштанового меда и, стараясь не привлекать к себе внимания, вышла на террасу, откуда лестница вела на второй этаж, где лежала еще одна болящая. Постучала в дверь.

Ирину она нашла проснувшейся, румяной и похорошевшей. Вот что значит относительное спокойствие, поддержка друзей, хорошее питание и надежная крыша над головой.

— Ты как? — спросила Настя Ирину.

— Мне Юра звонил, — сказала Ирина, и глаза ее при этом заблестели. — Он скоро будет в Лазаревском. Ему друг деньги выслал, свои-то у него в дороге украли... Вот невезуха, скажи? Короче, он приедет и сказал, что что-нибудь придумает! Вряд ли, конечно, он вернется к своему отцу, тот же другую женщину привел... Вот устроится куда-нибудь на работу, снимет комнату или квартиру и заберет меня. Раз уж мой муж уверен, что у нас с Юрой роман, хотя его никогда не было, так пусть теперь и дальше так думает... Ну не могу я одна жить. Юра любит меня, я знаю, вот пусть и поможет. Пусть докажет, на что он способен ради меня.

— Ира? — Настя едва сдерживалась, чтобы не наорать на нее. — А теперь послушай меня внимательно. Может, Юра и хороший человек и любит тебя, но у тебя с ним нет никакого будущего! Пусть устраивается на работу, пусть снимает себе жилье, но тебя он не должен двигать с места... У нас с тобой план, нам предстоит суд, может быть, не один. И твой Юра будет только мешаться, поверь мне. К тому же я не уверена, что его ограбили по дороге. Да он элементарно мог пропить все свои деньги. Мужики — они слабые. Если ты хочешь, чтобы мы с Денисом и дальше помогали тебе, держись нас. Оставайся здесь жить сколько нужно. Если не найдем тебе сейчас работу, то останешься у нас работать. Уже весной к нам начнут съезжаться туристы. Будешь помогать мне по хозяйству, убираться. Я тебя официально устрою, может, зарегистрирую в этом доме, чтобы только ты детей своих отвоевала. Ты понимаешь, о чем я?

— Понимаю, конечно... Но просто мне страшно неудобно перед вами. Сколько уже можно мне помогать? А Юра... С ним легко и просто, я его не стесняюсь.

— Ты, наверное, уже рассказала ему, где живешь и с кем?

— Конечно.. А что, не надо было?

— Просто сюда я его не пущу. Вот пораскинь мозгами сама. Разве мог бы влюбленный в тебя мужчина, зная, какой разразился скандал и что муж выгнал тебя и отобрал детей, вот так взять и бросить тебя на растерзание Данилова? Испугался он! Говорю же тебе — делай выводы! Да если бы не мы с Денисом, ты бы превратилась в кусок льда там, на базаре, рядом с ларьком, куда тебя решил определить твой муж!

— И что же мне делать?

— Ира, включай мозги! Скорее всего, Юра твой решил вернуться, когда понял, что у тебя есть жилье, и он наверняка решил сесть к тебе на шею... Не знаю, может, я просто плохо отношусь к мужчинам, ко всем, кроме моего Дениса, но советую тебе прямо сейчас позвонить этому Юре и дать ему отбой. Скажи, что обстоятельства изменились, что мы с тобой поссорились и ты сейчас в спешном порядке ищешь жилье... Сгусти краски. Понимаешь? Кстати... Ты ему сказала что-нибудь про свою шубу, ну, что ты хочешь тайно проникнуть в свой дом и забрать свои вещи и шубы в том числе?

— Да, сказала... У меня шуба из соболя, две норки, чернобурка, ну и бриллианты, конечно. Я-то думала — как раз с его помощью все это себе верну, чтобы с вами расплатиться.

Настя молча покрутила пальцем у своего виска.

— Думаешь, он обманул бы меня?

— А вот ты позвони и расскажи ему о своих трудностях...

— Хорошо, я так и сделаю...

Ирина раскраснелась, возможно, от нервов у нее поднялась температура.

Разговор с Юрой был коротким. Юра, что называется, «слился». Сказал, что он ее не слышит, что потом перезвонит...

— Он не перезвонит, — сказала Настя. — Может, я и жестокая, что заставила тебя сделать этот звонок. Но поверь мне: лучше жестокой буду я, чем мужик, который собирался тебя ограбить!

— Послушай, Ира... — сказала Настя ей перед самым уходом. — А если мне понадобится от тебя помощь — поможешь?

— Сразу! А что нужно будет сделать?

— Думаю, что уже сегодня, если повезет, я спрячу в твоей комнате одного человека...

Глаза Ирины загорелись.

— Наконец-то! — улыбнулась она. — Может, и я на что сгожусь!

По дороге к Татьяне Масленниковой Настя забежала в магазин, купила лимонов и молока.

Калитка дома, в котором жила Таня, была не заперта. Она вошла в маленький дворик, который, как и все дворы и садики этого курортного городка, сейчас был мокрый и грязноватый от снега, и увидела на ступеньках крыльца электрическую плитку, на которой шипела скороварка, от которой исходил запах вареной курицы.

На втором этаже тотчас распахнулось окно, и высунулась замотанная в белую шаль голова подружки Тани.

— Настена, как же я рада тебя видеть!

Настя задрала голову и улыбнулась Татьяне:

— Привет болящим! Курочку варишь?

— Ну да! Знаешь, боюсь я этой скороварки, потому и вынесла на крыльцо.

— Я принесла тебе мед, варенье, лимоны, вот, кладу сюда, видишь?

— Спасибо, подруга! Чего у тебя вид какой-то озабоченный?

— Да я работу Ирине ищу.

— Даниловой, что ли? Слышала-слышала. Ты вообще молодец. Не побоялась с Даниловым связаться.

— Ну, уж если мне его бояться, когда у меня муж следователь... Тогда и не знаю, как остальным жить... Да он оборзел совсем, на верную гибель ее вывез, на базар, в снегопад... Выдумал эту историю про Юру, ну, ты знаешь...

— Да все я знаю. И что, теперь работу ей ищешь?

Настя пожала плечами:

— А что делать-то? Ей на суде зарплату надо показать, что она работает... С регистрацией я ей помогу, объясню, что жилье у нее с детьми будет. Денис согласен.

— Эх, вот сейчас не сезон, и мало кто заинтересуется... Были бы у меня деньги!

— Не поняла.

— Сомова помнишь — булочную, пекарню, держал на набережной, еще многие пытались у него перекупить этот участок, а он все не соглашался...

— И?

— Женился он. На какой-то еврейке из Сочи, Эмме Смушкиной. Бог-а-а-атая! У нее кожаные магазины в Сочи, говорят, что две квартиры в Стамбуле купила. Так вот: она много лет одна жила, вообще мужикам не верила, все думала, что она интересна им только из-за денег, а тут их взяли и познакомили, родственники — ну они-то, понятное дело, думают, что познакомились случайно, на дне рождения тетки Эммы, а на самом деле все было срежиссировано. И что ты думаешь? Она влюбилась в нашего Сомова. А что, ему хоть и пятьдесят пять, но выглядит он очень даже ничего. Хозяйственник опять же хороший. Да он, может, в жизни бы не продал свою землю и пекарню, если б и сам не влюбился. Она поставила ему условие: переезжают и живут у нее, а потом — и в Турцию. И вот теперь он продает. Кажется, за сто тыщ евро... За копейки! Ты поговори со своим Денисом, может, кредит возьмете и купите! Кафе откроете! Место-то в прямом смысле хлебное!

— Не трави душу... Мы еще со старыми кредитами не расплатились. Хорошо, что дом успели отремонтировать, мебель купили... Нет, это не для нас... Слушай, у меня к тебе дело одно есть. Я подругу ищу, она в Лазаревское недавно приехала, от мужа сбежала и теперь прячется. Как мне ее найти?

— Да никак! Не знаю.

— Понимаешь, она не бедная, скорее всего, остановилась в гостинице, но под чужим именем.

— Глупости! Скажи: вот если бы ты от мужа сбежала, ты стала бы светиться в гостинице? Да наверняка сняла бы квартиру.

— Ну, не знаю... Да, наверное, ты права.

— Она хорошо знает Лазаревское?

— Не знаю... Может быть. Но вообще-то, когда они с мужем раньше приезжали сюда, останавливались у нас.

— А она знает номер твоего телефона?

— Конечно, знает! Но понимаешь... Она могла сбежать в таком состоянии... Словом, она, я думаю, поменяла сим-карту и телефон... Муж ищет ее, землю роет, профессионал! Он у нее, как и у меня, следователь прокуратуры.

Татьяна присвистнула:

— Надо же, как все круто! А у тебя с ней какие отношения?

— Отличные!

— Странно, что она тебе до сих пор не позвонила. Даже если бы она, к примеру, не знала твоего телефона, то уж нашла бы способ встретиться с тобой, адрес-то известен, послала бы записку, я не знаю...

— Но ничего не произошло. Вот я и решила сама найти ее.

— А чего она сбежала-то от мужа? С мужиком?

— Никто ничего не знает. — Настя задумалась. — Знаешь, она очень любила наши шашлыки в «Прибое»...

— В «Прибое»? Ну уж нет! Я бы на ее месте не стала светиться там, где меня могут искать.

— Так она и не знает, что ее муж уже здесь... Не знает, что ее именно здесь ищут.

— Тогда сходи туда, поспрашивай. Сейчас гостей мало, если она там была, то ее обязательно вспомнят.

— Ладно, Танечка, пойду я... А ты выздоравливай. Ты сейчас где работаешь-то?

— Здесь один цех открылся мясной, вот, пока там работаю... Котлеты упаковываю. Ближе к весне, может, что-нибудь получше подыщу. Очень уж тяжелая работа. Постой... В «Прибое», говоришь, она любила бывать? Дай-ка я позвоню Жанне, подружке своей. Она там официанткой работает. Чего спросить? Как твоя подружка выглядит?

— Рыжая такая, яркая... Красивая!

— Подожди минутку!

Татьяна скрылась в окне и вернулась через мгновение уже с телефоном.

— Привет, Жан...

Пока Татьяна разговаривала с подругой из «Прибоя», Настя успела замерзнуть. Как-то все вокруг потемнело, подул ветер, снег повалил крупными мокрыми хлопьями, ложась на голые кусты и деревья, на плиточный пол террасы, на ступени крыльца. И только от скороварки валил живой, горячий пар, и она шумела, как готовая взорваться бомба.

Татьяна снова высунулась в окно. Вид у нее был разочарованный, губы — поджаты.

— Жанка сказала, что два дня подряд туда к ним наведывались две курортницы, которые явно кого-то дожидались, пили коньяк и заказывали шашлык. Так вот одна из них была рыжая, нервная... Много пила, говорила, даже плакала, очень эмоциональная...

— Две курортницы, говоришь? Без мужчины? Точно две?

— Ну да! А что, она все-таки должна была быть с мужиком?

— Да не знаю я ничего... Но две девушки... Как-то это странно, ты не находишь? — задумчиво произнесла Настя.

— А может, она — лесбиянка?! И потому сбежала от мужа! Вон, Жанка говорит, что они коньяк глушили, нервничали очень...

— А что, все лесбиянки нервные?

— Да нет, но эта, рыжая, точно нервничала, очень, говорит, эмоционально разговаривала со своей подружкой, а потом, прикинь, вдруг как будто бы приходила в себя и принималась выстраивать в ряд солонки, укладывать салфетки...

— Что ты сказала? Постой... Солонки выстраивала в ряд?

И Настя вдруг отчетливо увидела картинку: летняя ночь, они с Надей сидят в ресторане, едят жареную форель, разговаривают, смеются, пьют вино. И вдруг в какой-то момент Настя замечает, что ее подруга начинает выстраивать в ряд солонку, перечницу, баночки с горчицей, кетчупом, даже зубочистки в белой шуршащей обертке укладывает на столешницу в ряд, как павших на поле боя солдат...

— Таня, вот спасибо тебе!!! Это она, она! Как, говоришь, зовут твою подругу? Жанна?

И Настя, помахав на прощание Татьяне рукой, бросилась к калитке.

16. Надя, Настя. Лазаревское, 2014 г.

Казалось, гостиница опустела — не хватало на центральном входе таблички: «Все ушли на фронт!» Так было тихо.

Конечно, не сезон, дураков отдыхать в январе немного.

Тишина в номере была нестерпимой, словно голову Нади обложили ватой.

Она была совсем одна. Не надо было ей отпускать Женю. С другой стороны, разве могла она подвергнуть ее опасности. Ведь развязка совсем близко. В любую минуту в дверь могут постучать люди с каменными лицами и потребовать у нее возвращения денег. Скажут, что перепутали, что не тому, вернее, не той Наде Юфиной отдали сумку с деньгами...

От представленного волосы на голове шевелились, так было страшно. И даже не за себя, за своих детей, бабушку, Бориса.

Им сообщат, что в Лазаревском в гостинице обнаружен труп женщины с признаками насильственной смерти. Труп, по приметам схожий с описанием пропавшей несколько дней назад Надежды Гладышевой.

Борис переживет, он сильный, потом еще раз женится. А вот мальчики, Володя с Денисом, останутся сиротами при живом отце. В лучшем случае их будет воспитывать мачеха, а в худшем... Нет-нет, Борис никогда не отдаст их в интернат. Он не такой. Может, хватит ума отвезти детей на Сенную, к Лере? Но она уже немолода, да и сможет ли воспитать двух мальчишек? Все-таки им нужен отец.

Надя заплакала. Будущее ее семьи показалось ей черным тоннелем, куда она летит с космической скоростью, чтобы рухнуть в пропасть.

Слабая надежда, что не так уж и много на свете таких полных тезок, да чтобы еще и бабушку пресловутой Надежды Юфиной звали Валерией, не способна была придать сил.

Желание найти Настю, встретиться с ней тоже пропало. Во-первых, нужны были силы, чтобы встретиться с ней тайно, все это надо было тщательно продумать, чтобы Денис, ее муж, ни о чем не узнал. Во-вторых, что она расскажет Насте? Признается в том, что она бросила своих детей ради того, чтобы вернуть деньги человеку, который, оказывается, умер тринадцать лет назад? Что бы она ни рассказала, все покажется Насте ложью. Грубой и глупой.

Хорошо бы позвонить ей, но все нужные номера остались на старой сим-карте. А кто помнит номера телефонов даже самых хороших друзей?

Значит, надо идти к ней самой. Или найти человека, который доставил бы ей записку. А где гарантия, что этот человек не передаст записку Денису? Город маленький, все друг друга знают... Остается только прийти самой и дожидаться момента, когда Настя сама выйдет из дома. А что ей делать на улице в такую непогоду? Конечно, она может выйти в магазин или по другим делам, но сколько ее ждать? Час, два а то и пять!

Холодно. Хоть в номере и горячие батареи, но все равно как-то холодно. Словно кровь в жилах остыла, не греет тело.

Надя зарылась под одеяло в свитере и домашних теплых брюках и стиснула зубы, чтобы унять дрожь.

В дверь постучали.

Кто? Пришли за ней?

Она еще глубже зарылась под одеяло, ее затрясло теперь уже от страха. Как они будут убивать? Застрелят? Удушат? Отравят?

Поначалу поговорят, спросят, куда она дела деньги. А она их потратила. С легкостью. Словно кто-то управлял ею сверху. Она и сама не смогла бы объяснить, как посмела она потратить чужие деньги, купив квартиру Кате, выкупив дом Агашевых, да и все остальное...

Еще раз постучали. Так стучат женщины. Осторожно, тихонько, тук-тук-тук... Не мужчины-убийцы.

— Да!

Потом, вспомнив, что дверь заперта на ключ, Надя заставила себя подняться и отпереть.

Это была девушка Мила с ресепшен. Выражение ее лица было загадочным и даже испуганным.

— Вы извините меня... Но здесь один человек... Может, это, конечно, ошибка... Да, скорее всего, ошибка, но я все же передам записку... Если не вам, значит, не вам... просто... вы извините меня...

Ну вот и все. Началось.

— Давайте сюда вашу записку, — не своим голосом произнесла Надя и почувствовала, как кровь отлила от лица.

«Если Вы — Надя Гладышева, то попросите Милу впустить меня. Я — Настя Тришкина. Если это ошибка — прошу меня простить за беспокойство».

Этого не может быть! Что это? Прямое доказательство того, что мысль — материальна? Ведь она только что думала о Насте, строила планы, как организовать встречу.

— Там — Настя? — спросила она недоверчиво Милу.

— Да, — широко улыбнулась девушка, за деньги готовая, видимо, продать и мать родную.

— Пусть поднимется.

Сердце заколотилось, во рту пересохло. Настя ли это? Или какой-нибудь новый сюрприз?

Надя отошла к окну, встав к нему спиной и вцепившись сзади пальцами в подоконник. Вот сейчас откроется дверь и...

— Господи, Надя!

В номер влетела Настя и крепко обняла подругу. Мила, наблюдавшая эту сцену, успокоившись, пятясь, покинула номер и прикрыла за собой дверь.

Вся одежда Насти была мокрой от растаявшего снега.

— Ну, слава богу, нашлась! Живая и здоровая!!! — повторяла она, разглядывая Надю. Потом, опомнившись, выставила руку вперед, подняв кисть: — Сразу предупреждаю — никто не знает, что я тут. Ни Денис, ни твой Борис!

— Кто? Борис? Он что, здесь?

Они разговаривали в гостиничном баре, забившись в самый угол, за большой пальмой в кадке, и были единственными посетителями. Мартини с маслинами и долгий, чуть слышный монолог Нади.

Настя слушала, не перебивая.

Когда Надя закончила говорить, Настя с минуту просто смотрела на нее, едва заметно качая головой. Словно не в силах поверить.

— Не знаю, кто как, но я лично поняла тебя.

— В смысле? Что ты имеешь в виду? — спросила Надя ослабевшим и слегка охрипшим голосом.

— Я бы тоже сделала все, чтобы только не тревожить Дениса. И деньги бы решила вернуть, как ты! Ты же не могла знать, что, во-первых, этого Виталия уже нет в живых, во-вторых, что ты покидаешь дом надолго. Ты же думала, что Виталий где-то в городе, раз отправил к тебе своего человека с сумкой.

— Да, но все равно, все было совершено эмоционально, необдуманно... Это я сейчас спрашиваю себя: а почему тот, кто передал деньги (ну, тогда-то я думала, что это Виталий), не пришел ко мне сам! Сумма-то огромная!

— Ты на самом деле не задавалась таким вопросом?

— Я подумала, что он готовит какое-нибудь представление, зрелище, ну, чтобы окончательно потрясти меня...

— Думаю, что миллион евро потряс бы кого угодно! — хохотнула Настя.

— Что мне теперь делать? Вот именно сейчас!

— Жить! Возвращаться домой, забирать детей и просто жить. Хочешь — одна, хочешь — с Борисом. Теперь, когда у тебя есть деньги, ты сможешь купить себе квартиру, бизнес... Как ты думаешь, Борис будет бороться за детей, в смысле захочет их у тебя отнять?

— Уверена, что нет. Это если бы я изменила ему, тогда, наверное... А так... Его же все равно дома не бывает. А детям надо жить с матерью.

— Тем более — решай и действуй.

— Я запуталась. Да, конечно, ты права, мне надо возвращаться домой... Но именно сейчас меня беспокоит, как бы остаться живой после всех этих событий.

— Ты все-таки думаешь, что деньги предназначались не тебе?

— Ну, да... конечно. Понимаешь, только у одного человека из всех, кого я знаю, могли быть такие бешеные, шальные деньги — у Виталия.

— А ты разве не предполагала, что он жив? Что вместо него похоронили, скажем, другого, а он под чужим именем вышел из тюрьмы, причем давно, и все это время жил, занимаясь своими делишками... Скорее всего, он и нашел этот меншиковский клад, по твоей, так сказать, наводке. Иначе откуда такие деньги? Еще одно совпадение? Значит, ты ему рассказываешь, где предположительно спрятан клад Александра Меншикова, и вот спустя тринадцать лет (число-то какое, мистическое!) тебе приносят кучу денег плюс старинные броши петровских времен...

— Я не искусствовед, я не уверена, что броши именно того времени...

— Все равно! Да это точно он! И деньги эти — твои, твоя доля, понимаешь, иначе тот человек, который передал тебе сумку и вдруг понял, что деньги попали в чужие руки, уже давно бы взял твой след и отнял деньги.

— Ты просто хочешь меня успокоить.

— Да нет! Я действительно так думаю!

— Хорошо, пусть так. Но что мне делать сейчас? Если Борис здесь, они с Денисом могут меня и здесь найти... Мила эта, она за деньги выдаст меня кому угодно...

— Я спрячу тебя. В надежном месте. В гостинице тебе точно нельзя оставаться. Давай, Надя, одевайся, поедем. А пока ты будешь собираться, я расскажу тебе другую историю. Слава богу, она случилась не со мной, а с моей соседкой.

И Настя рассказала ей про Ирину Данилову. К концу рассказа Надя уже стояла одетая в дверях.

— Настя, вот нисколько в тебе не сомневалась! Ты просто молодец, что помогла ей. Бедная девочка! Сколько же ей пришлось вынести! Значит, она сейчас живет в твоем доме, на втором этаже, там же, наверное, где жили мы летом?

— Да, именно туда, к ней я и намерена тебя сейчас поселить. Но так, чтобы тебя никто не увидел. Быть может, это сама судьба предложила мне принять участие в судьбе Ирины и поселить ее на втором этаже, чтобы потом помочь тебе. Теперь, какие бы звуки оттуда, сверху, не доносились, Денис будет знать, что там живет Ирина. И никаких подозрений!

— Отлично!

Когда приехали домой, машины Дениса не было, а это означало, что его еще нет дома. Можно было спокойно, не боясь, что кто-нибудь увидит Надю, войти в калитку и подняться на второй этаж.

— Ну, вот, знакомьтесь: это Ирина, а это — моя подруга Надя, — представила Настя подруг.

— Очень приятно, — сказала Ирина, протягивая Наде руку. — Вы извините, что я лежу, что-то мне не очень хорошо...

— Чувствую, что я и здесь пригожусь, — улыбнулась ей Надя. — Вы лежите спокойно, я буду за вами ухаживать.

— Девчонки, что это вы все «выкаете»? Давайте уже на «ты»! Я сейчас пойду, приготовлю что-нибудь и принесу вам поесть. А ты, Надя, располагайся. Ты знаешь, там за дверью есть еще одна спальня. В шкафу полно постельного белья, одеяла. А как здесь натоплено! Ташкент! Вечером сядем, поговорим обо всем более обстоятельно.

— Спасибо тебе, Настя, — Надя обняла подругу. — Удивляюсь, как это я раньше сюда не пришла.

— Ну, ты же была не одна... Хоть бы у твоей подруги Жени все было нормально. Она тебе еще не звонила?

— Нет.

— Значит, еще позвонит!

— Надеюсь... А мне нужно позвонить бабушке... Как же я по ней соскучилась!

Настя спустилась к себе в приподнятом настроении. Она нашла ее! Первая! И как же здорово все устроила! Теперь только надо придумать, что делать дальше. Заставлять Бориса с Денисом продолжать поиски Нади — нехорошо. Потом, когда все раскроется, они ей этого не простят.

Настя позвонила маме, поговорила с Соней, затем принялась за ужин. Пожарила рыбу, приготовила салат, испекла кекс. Половину разложила по мискам и подняла наверх. Там было сонное царство. Ирина снова, как медведица, впала в спячку. В соседней с ней комнате отсыпалась, почувствовав себя в безопасности и тепле, Надя.

Когда совсем стемнело, вернулись мужчины. Борис выглядел расстроенным и уставшим. Вяло ел, за столом почти не говорил. Зато Денис был в приподнятом настроении, рассказывал о том, как вовремя объявился свидетель по одному из его старых дел, и что теперь все сдвинется с мертвой точки, и уже совсем скоро дело можно будет передавать в суд. Говорил он и о том, какие меры были приняты для того, чтобы найти Надю.

В разгар ужина Настя все же осмелилась спросить:

— Вот скажи, Борис, как так могло случиться, что Надя ушла? У тебя есть твои версии?

— Настя, пожалуйста... — Борис поморщился, словно слова Насти причинили ему физическую боль. — Конечно, есть версии! Вернее, теперь осталась только одна — у нее другой мужчина!

— А тебе не кажется, что ты идешь по пути наименьшего сопротивления? Что, других причин быть не могло? А если с ней что-то случилось? Если ее взяли в заложники?

— Глупости все это, Настя, — ответил за друга Денис. — Боря же рассказал — Надя ушла сама. Осознанно. Детей оставила свекрови и ушла. Потом жила у своей подруги. А до этого к ней заходил какой-то тип и оставил ей сумку с деньгами.

— Вот и я о чем! Она могла попасть в криминальную историю, понимаете? Ее могли шантажировать, угрожать, да все, что угодно! И знаете, что меня во всем этом больше всего напрягает?

Борис посмотрел на нее и отвернулся.

— То, что она не обратилась за помощью к тебе, Борис. Я просто уверена, что никакого мужчины у нее нет и быть не может. Просто в жизни случаются самые странные вещи... Может, ее кто позвал? От твоего имени, к примеру?

— К чему ты все это ведешь? — спросил Денис, отрезая себе большой кусок кекса с изюмом. — Что-то я не пойму.

— А к тому, что надо доверять друг другу. А ты сразу предположил самое худшее — измену. А вот мне кажется, что с ней что-то случилось...

— Может, они с этой... Гольдман задумали убийство ее мужа заранее? — вдруг сказал Борис, и у Насти глаза от удивления просто округлились.

— Борис, ты что, сошел с ума?! — не выдержала она. — Ты вообще понимаешь, что сейчас сказал? Ты говорил вообще-то о своей жене! Уже в убийцы ее записал!!!

— Ты права, спорол чушь... Но, Настя, ты и меня постарайся понять. Если бы мне кто-нибудь сказал о том, что моя жена сбежит от меня, что свяжется с преступниками, с какими-то грязными деньгами, что бросит своих детей... Да разве я бы поверил? Но это все факты: мужик с сумкой, бегство Нади, ее проживание у Кати, подруги, покупка части ее квартиры, поездка сюда на поезде по соседству с убийцей старого мужа...

— А с чего ты решил, что старика убили? Может, он умер своей смертью?

— Ну, доказательств у меня, конечно, нет, и я вообще не в курсе... Но как-то все это подозрительно. Очень старый муж, очень молодая жена, очень большие деньги, труп Гольдмана в купе, бегство его жены и моя жена в качестве свидетеля... Поневоле свяжешь все эти события и факты.

— Самое подозрительное в истории с Гольдманами — это как раз бегство жены, — поддержал друга Денис. — Если ты не виновата, то чего бежать-то?

— Вы вот сколько лет прожили с Надей? — спросила Настя. — Больше десяти?

— Тринадцать.

— Мы с Денисом знаем вас не первый год... Вы же — прекрасная пара, вы любите друг друга! Тогда как же ты можешь допустить такие мысли о своей жене?!

— Настя, прошу тебя...

— Пообещай мне, Боря, что, когда ты все-таки найдешь Надю, не рубить сплеча, дать ей возможность все объяснить. Обещаешь?

Борис посмотрел на Настю долгим взглядом разочарованного в жизни человека.

— Мне бы только найти ее... — проговорил он пересохшими губами. — А уж там мы с ней разберемся.

От этого разговора у Насти остался тяжелый осадок. Борис просто уверен, что Надя приехала сюда с любовником, поэтому и злится, не может адекватно воспринимать события.

— Ладно, ты извини меня, Боря... Это ваши, семейные дела...

— Спасибо за ужин, Настя, — дрогнувшим голосом проговорил Борис, и в его тоне она прочувствовала всю боль мужчины, женатого мужчины, который вмиг лишился семейного счастья, уютных домашних вечеров в окружении близких людей, заботы, ласки, любви любимой женщины, наконец. И вот сейчас, за столом, в семье друга, за ужином, наблюдая их с Настей отношения, ему еще больнее при мысли, что еще недавно и он был счастлив, а сегодня уже все потерял. И теперь словно весь окружающий мир знает о его беде и смотрит на него, как на неудачника, на брошенного мужа. И он, униженный своим одиночеством, не знает, куда себя деть...

— На здоровье, — улыбнулась Настя, собирая со стола грязные тарелки.

— Да, спасибо, Настя, — Денис притянул ее к себе и поцеловал. — Все было очень вкусно.

— Ну, ладно, мальчики, а мне пора наверх, к Ирине, — сказала Настя. — Что-то она себя неважно чувствует.

— Да-да, иди... А мы пойдем в комнату, посмотрим телевизор, — сказал Денис. — Надо отдохнуть, лечь спать пораньше. Завтра предстоит много сделать. Но думаю, что мои знакомые ребята найдут Надю. Если она, конечно, здесь. Не переживай, старик, все будет нормально!

Настя выскользнула из кухни и поднялась на второй этаж.

17. Адашевский Семен Николаевич. Лазаревское, 2014 г.

— Сема, ты ужинать будешь?

Алла Адашевская, жена адвоката Семена Николаевича Адашевского, хрупкая стройная блондинка в велюровом сиреневом халатике, встретила мужа в прихожей, приняла из его рук шапку, меховое пальто.

— Ты вспотел, Сема, все-таки для такого пальто жарковато, ты не находишь? Конечно, оно красивое, просто роскошное, и ты смотришься в нем шикарно, представительно...

— Алла, хватит, — резко оборвал ее муж, высокий, крепко сложенный мужчина в сером костюме, розовой рубашке с розовым, с жемчужным отливом галстуком. — Сколько уже можно говорить мне об этом пальто...

Его в этот вечер раздражало абсолютно все: и кудряшки его жены, и сиреневый халат, и даже звук ее голоса! Он уже два года встречался с другой женщиной, Ольгой, очень молодой, нисколько не дорожащей их отношениями и готовой в любой момент его бросить. Она была высокой, худой, загорелой, носила брючные костюмы с белыми сорочками, коротко стриглась и всем своим внешним видом, своей женской сущностью была полной противоположностью жене Алле. Ее нисколько не волновали его профессиональные дела, она встречалась с ним только тогда, когда ей были нужны секс или деньги, и никогда не упускала возможности дать ему понять, что она его не любит.

И, странное дело, именно это и заводило Семена, и он держался ее, вероятно, так же, как в свое время его коллега, тоже адвокат Краснодарской краевой коллегии адвокатов Лазаревского филиала — Сашка Гаврилюк, ее бывший любовник.

Это Ольга заставила его купить это дорогое меховое пальто. «Клиент, увидев тебя в этом пальто, заплатит тебе в два, а то и в три раза больше!» И она оказалась права. Другое дело, что и клиенты, и все окружающие его люди понимали это и, как предполагал Семен, подсмеивались над ним.

Но сегодня его раздражение было несколько другого рода.

В прошлом месяце он согласился защищать бандитов, братьев Белозеровых, причастных к убийству сочинского предпринимателя Петросиани. Дело было громкое, окружение Белозеровых пообещало заплатить большие деньги за условный срок. Семен сделал все, как обычно, провел переговоры, с кем надо, передал пакет с деньгами, кому надо, нигде как будто бы не наследил, однако судья, с которой он контактировал, попалась на взятке совершенно по другому делу, и Белозеровых посадили, дали им большие сроки... Деньги надо было возвращать, а где их взять, если он купил Ольге «Alfa Romeo» цвета спелой вишни и снял в Сочи дом на два года, где они могли спокойно встречаться.

— Ой, Семочка, тебе надо в душ, у тебя вся рубашка мокрая... Ты уж завтра не надевай это пальто, у тебя есть красивый кожаный плащ, все-таки не так жарко будет... — ворковала Алла, накрывая на стол в гостиной. — Я тебе винегретик приготовила, все-таки витамины. Борщ, я думаю, ты не будешь, так я тебе котлетки по-киевски приготовила. Так долго возилась, но все получилось, и масло не выливается!

Казалось, она разговаривает сама с собой, кружится вокруг стола, раскладывает салфеточки, тарелочки, салатники. И лицо у нее при этом такое спокойное, довольное, да она просто счастлива! А чего бы ей не радоваться жизни, когда она нигде не работает, ни о чем не беспокоится, и вся ее жизнь сводится к тому, чтобы заботиться о муже?! Однако стиральная машинка стирает сама, аппарат для глаженья белья крутится как будто бы тоже сам, нажимай на педаль, и все! Посудомоечная машина моет посуду. Духовка сама печет пироги. Аллочка целыми днями смотрит сериалы, ходит в парикмахерскую, на массаж, а может, у нее и любовник есть...

Что-то как-то захотелось ее ударить. Кулаком в лицо. Единственно для того, чтобы увидеть выражение ее лица, ее глаза, ее удивление, чтобы она наконец поняла, что жизнь состоит не только из одних удовольствий.

Он так хорошо себе это представил, что удивился, что на белой скатерти не появились брызги крови.

— Садись, Сема, все готово! — сказала она, когда он вышел в чистой и сухой одежде после душа. — Что-то ты бледный... Случилось чего?

— С чего ты взяла? Все нормально.

Если бы не два года, прожитые вместе с циничной и сильной Ольгой, он рассказал бы обо всем Алле, растаял бы под ее нежным взглядом, обнял бы ее или вообще заплакал. Ведь когда-то они были близкими людьми, и он во всем ей доверял. И называл Аллочкой. Да и вообще он работал, зарабатывал деньги, чтобы только порадовать ее, чтобы она увидела, какой он умный, что у него все получается, что он любит ее, наконец.

Ольга появилась в его жизни неожиданно, сначала в качестве подруги Сашки Гаврилюка, который сделал из своего романа целое шоу, рассказывая о своей новой любовнице всем и каждому. Но потом у Сашки заболела дочь, и ему пришлось продать свой дом, чтобы отвезти ее лечиться в Германию. И Ольга как-то очень скоро появилась на пороге адвокатского кабинета Семена с надуманным делом, которое и привело их обоих в кровать. Ольга — человек с железной волей и абсолютно без комплексов, поначалу внушила ему, что влюблена в него, что жить без него не может, заставила его поверить, что чуть было не напилась таблеток, чтобы доказать ему свои чувства, а потом ее в его жизни стало так много, что она просто вытеснила спокойную и нежную Аллу с ее милой, пусть немного и навязчивой заботой, скромными желаниями.

Семен и сам не понял, как это Ольге, встречаясь с ним все реже и реже, удалось настроить его против жены, вызвать в нем чувство отвращения к ней! Тратя огромные деньги на Ольгу, он отказывал своей жене в самом элементарном, и чем меньше она у него просила, тем больше он раздражался по отношению к ней. Его внешнее раздражение Алла поначалу не принимала близко к сердцу, полагая, что дурное настроение мужа — это его реакция на тяжелую, нервную работу. Но потом, возможно, начала что-то подозревать...

— Ну как? — спросила она, заглядывая ему в глаза. Она находилась совсем близко от него. И от ее халатика и от тела исходил сладковато-кисловатый запах слегка вспотевшего и надушенного теплого тела. Ольга, к примеру, душилась резкими горьковатыми духами, и от нее пахло, как от облитого ядом сухого дерева.

— Что — как? — простонал он, едва сдерживаясь, чтобы не оттолкнуть ее от себя.

— Котлеты по-киевски! — улыбнулась она. — Правда же, масло не вытекает?! Я научилась с третьего раза!

— Правда... — он едва разжал зубы, отвечая ей.

— Сема, у тебя что-то случилось? — Глаза ее вмиг наполнились слезами. — Неприятности? Может, расскажешь?

— Мне надо деньги вернуть. Срочно, — вдруг выпалил он, словно давно ждал этого вопроса. А ведь он действительно давно ждал вопроса, сочувствия, сопереживания, всего того, чего не получал от Ольги!

— Много?

— Очень.

— Взял деньги и проиграл дело? — догадалась жена.

— Да.

— А деньги где? Потратил?

— Вложил в одно дело и прогорел.

Алла ахнула, прикрыв рот рукой.

— И что же теперь будет?

— Меня убьют. Все-таки пятьдесят тысяч долларов.

— О Господи! На самом деле, огромная сумма. Надо продавать дом, Семен. Другого выхода я не вижу. Бог с ним, с этим домом... Поедем в Дагомыс, к моим родителям, у них чем не дом! Хоромы! Знаешь, как они нам обрадуются?!

Семен и не заметил, как обнял ее и прижал к себе. Картинка с «Альфа Ромео» цвета спелой вишня заплясала перед глазами, как укор, как издевка. Такого же цвета губы Ольги, полные, тугие, показались ему безобразно грубым ртом, по которому захотелось ударить.

Его трясло от непонятных чувств. Вот только что ему хотелось ударить Аллу, теперь вот — Ольгу, которая наверняка встречается с другим мужчиной... Она всегда все про него знает. Сейчас в курсе, как он пролетел с деньгами братьев Белозеровых.

Алла села за стол и положила скрещенные руки на скатерть. Лицо ее побледнело, осунулось. Конечно, она расстроилась.

— Не так-то легко быстро продать дом. Может, взять кредит по-быстрому? Ты же адвокат, тебе дадут... и в банке тебя знают, помнишь, ты выиграл одно дело...

Прозвенел звонок, кто-то пришел. Семена прошиб пот. Он посмотрел на свои трясущиеся руки и поспешил спрятать их за спину, чтобы не увидела жена.

— Мне открыть? — спросила она дрогнувшим голосом.

Красивый и комфортный дом за мгновение растворился, исчез, растаял, и он увидел себя вместе с Аллой стоящими вдвоем на снегу, в домашней одежде... И так стало страшно!

— Нет-нет, Аллочка, я сам открою. Ничего не бойся...

Он, стараясь идти бодро, на самом деле испытывая слабость в ногах, спустился в холл, увидел на экране видеофона незнакомую девушку в курточке и черном берете, едва прикрывавшем ярко-оранжевые кудри. Он открыл дверь.

— Адашевский Семен Николаевич? — спросила, улыбаясь, девушка.

Вероятно, клиентка, подумал Семен.

— Да, проходите, — он впустил ее в дом.

Глядя на ее веселое, беззаботное личико с ярким румянцем во всю щеку, он даже позавидовал тому, что у нее-то, судя по всему, все хорошо, и ее-то никто не убьет за пятьдесят тысяч долларов! Наверняка пришла с каким-нибудь пустяком или даже просить за кого-то. Поэтому у нее такое безмятежное лицо.

— У меня к вам одно дело. На миллион! — Она снова улыбнулась, показывая ровные белые зубки.

— Так уж и на миллион? Что ж, пройдемте в мой кабинет...

Они поднялись, он впустил ее в свой кабинет, и в какое-то мгновение его словно укололо: может, он в последний раз заходит сюда в качестве хозяина? Может, Аллочка подсуетится и быстро найдет покупателей на дом, чтобы раздобыть деньги, и тогда им придется собрать все свои вещи и переехать в Дагомыс, к ее родителям? А что, уж лучше так, чем... Бррр... Теща с тестем — хорошие, достойные люди. Теща, Раиса Васильевна, готовит такие хинкали!

— Семен Николаевич, это ведь вы ведете дела бизнесмена Данилова?

Это было неожиданно.
— Ну, да... А в чем дело?
— Я понимаю, вас наняли, и вы за деньги выполняете свою работу. Определенных успехов вы уже добились, так? Развели супругов, оставив Ирину без гроша в кармане, и теперь собираетесь лишить ее детей.

Девушка по-прежнему улыбалась. Ни тени злости или раздражения. Просто вела переговоры. Как нейтральное лицо. Сейчас она скажет самое главное. Будет давить на жалость. Как будто бы он не человек и не понимает, что нельзя разлучать детей с матерью. К тому же Ирина Данилова — хорошая мать. И это знают все. Вот только Данилов влюбился. Примерно так же, как и Семен, в какую-то барышню, которая вьет из него веревки.

— Могу я узнать, кто вы, кем являетесь для Ирины и какова цель вашего визита ко мне? — спросил он устало, поскольку сейчас его мысли были ну очень далеко от семейной жизни бизнесмена Данилова, которого он в душе к тому же еще и не уважал.
— Да, можете. Меня зовут Надежда. Я — доверенное лицо Ирины Даниловой. Подруга. У меня

к вам предложение, от которого вам будет очень трудно отказаться.

— Я весь внимание, — он настроился поиронизировать.

— В настоящее время Ирина Данилова разведена, так?

— Так.

— В случае если у нее будет собственное жилье и бизнес, шансы оставить себе детей у нее значительно повысятся, вернее, она стопроцентно оставит их себе, я правильно понимаю?

— Ну, да...

— Что-то вы как-то неуверенно говорите, господин адвокат. Насколько я понимаю, весь ваш с Даниловым расчет строится именно на том, что Ирина из-за отсутствия средств и жилья просто не потянет детей, не сможет их содержать и воспитывать. Так вот, начиная с сегодняшнего дня в ее жизни происходят большие перемены. Я могла бы, конечно, обратиться к другому адвокату, тем более что речь пойдет о каких-то уж очень простых вещах вроде оформления договора купли-продажи...

— Послушайте, говорите просто и ясно. Какой еще договор?

— Ирина покупает дом, и ей нужен человек, который помог бы ей с оформлением.

— Я не ослышался? Ирина покупает дом? Может, курятник? Или ларек на базаре?

— Нет, она покупает розовый особняк на улице Лазаревской, трехэтажный, с садом, общей стоимостью шестнадцать миллионов рублей. Вы беретесь это оформить?

— Шестнадцать миллионов рублей? Это тот самый особняк, который продается вот уже полгода и хозяева не сбавляют цену?

— Да.

— Откуда у Ирины деньги?

— От друзей. Так вы беретесь оформить сделку?

— Без вопросов. Хоть сейчас.

— Но это не все. Еще мы втроем — я, Настя Тришкина и Ирина Данилова выкупаем сомовскую пекарню, сговорились на девяносто пяти тысячах евро. Мы внесли уже задаток, сделку надо провернуть завтра же!

— Не слабо... — Семен почувствовал, как у него опускаются уголки рта, словно его мышцы реагируют на удивление вот таким вот странным способом. — Вы меня разыгрываете?

— Но и это еще не все! Вы должны будете сами, лично вывести завтра утром детей Ирины Даниловой из дома, посадить в машину, привезти в гостиницу «Шторм» и передать в холле матери.

— Да вы спятили! Там няня... Вы предлагаете мне выкрасть детей из собственного дома!

— Лучше, если вы сможете уговорить няню поехать вместе с детьми. При этом вам нужно будет придумать причину, по которой сам Данилов и его девушка покинут дом. Но это уже ваша задача, как это устроить. За это за все я заплачу вам наличными тридцать тысяч евро. Два договора на покупку недвижимости плюс доставка детей в гостиницу «Шторм» к одиннадцати часам утра. Все надо сделать очень быстро, оперативно, чисто, профессионально.

С этими словами девушка, просто сияя улыбкой, достала из кармана курточки пачку евро и положила на стол.

— Ну, что? Согласны? Или боитесь даниловского гнева? Послушайте моего совета: поставьте на Ирину. Данилов — предатель. Вот как он сумел предать свою жену, детей, оставив их без матери и поручив какой-то там чужой девке, вот точно так же он когда-нибудь предаст и вас, наймет себе другого адвоката. Кто он вам: брат? Друг?

— Сколько здесь? — По лицу Семена покатились крупные капли холодного пота.

— Половина. Пятнадцать тысяч евро. Ну, так что, беретесь?

— Берусь. Завтра в одиннадцать дети будут в гостинице.

— Вот и хорошо. Там же вы встретитесь с Ириной, и мы вместе поднимемся в номер, чтобы вы смогли подготовить договоры. У вас есть еще несколько часов сегодня, чтобы подготовить заготовки договоров. Завтра вам останется лишь вписать паспортные и кадастровые данные, ну, вы и сами все знаете. Расскажете обо всем Данилову — потом будете жалеть...

— Нет-нет, — замахал он руками и тряся головой. — Кто мне такой Данилов? Обыкновенный клиент, который, кстати, не заплатил мне за развод... Все завтраками меня кормит...

Семен и сам почувствовал, как жалко выглядит в глазах этой Нади со своими жалобами.

Кто она такая? Откуда у нее деньги? Еще она упомянула Настю Тришкину. Тришкина в Лазаревском все знают — следователь, работает в Сочи. Неподкупный. Честный. Нет-нет, с такими шутки плохи. Вероятно, просто нашлись люди, которые решили принять участие в судьбе Ирины Даниловой. Может, подруга, эта Надя, а может, нашелся мужик? «Ладно, это не мое дело...»

Он взял деньги и спрятал в карман брюк.

— Вы никому не должны ничего рассказывать. Просто садитесь сейчас за компьютер и начинайте готовить договоры... — сказала клиентка.

— Да-да, хорошо...

— Тогда — до завтра.

— До завтра.

Он проводил ее, проследил за ней, как она шла по дорожке до калитки, как вышла за нее и скрылась за углом соседнего дома. Кто такая? Надя...

Он пожал плечами и вернулся домой.

Алла все еще сидела за кухонным столом и что-то писала в тетрадке, делала какие-то расчеты. Увидев Семена, она рассеянно взглянула на него поверх своих очков, которые надевала крайне редко, когда надо было почитать или вот как сейчас — посчитать.

— Новая клиентка? — Она скривила лицо, словно от боли: понимала, что ему сейчас вообще не до клиентов, тем более — клиенток с их разводами или мелкими, неденежными делами.

— Аллочка, — Семен нервическим движением привел в порядок сразу все свои мышцы на теле, вздрогнул, собрался. — Брррр... Где там, говоришь, твои котлеты по-киевски? Ну-ка, давай разогревай... Кажется, завтра я получу гонорар, к которому мне нужно будет добавить всего-ничего, и я смогу расплатиться с Белозеровыми!

— Сема! — Алла закрыла лицо руками с тоненькими длинными бледными пальцами и разрыдалась.

18. Борис Гладышев. Лазаревское, 2014 г.

— Ну что, Боря, по сто грамм? — Денис поставил на стол бутылку водки, откупорил ее.

Друзья сидели в кухне, был поздний вечер, за окном сыпал снег, настроение у обоих было отвратительное: в Лазаревском никто ничего не слышал о девушке по имени Надя Гладышева. Два дня напрасной работы, беготни, бесполезных расспросов.

— Настя куда-то запропастилась, — вздохнул Денис, доставая из холодильника колбасу и нарезая ее толстыми ломтями. — У меня тут квашеная капуста есть, сейчас лучок порежу, маслицем полью...

Если бы не ситуация, в которой оказался сам Борис, он непременно задал бы вопрос другу: а где, собственно, пропадает твоя жена уже второй вечер? Но не задал по простой причине: его вопрос мог бы прозвучать как упрек благополучному семьянину Денису Тришкину, мол, и у тебя не все гладко в семье, и твоя жена позволяет себе надолго и без объяснений отлучаться из дома.

Вот потому молчал, хотя ему просто не терпелось узнать, на самом ли деле эта семья так счастлива, как это могло показаться на фоне его разбитой семейной жизни, или же они с Настей просто притворялись.

— Послушай, может, картошки пожарить, а, Борис? Или суп разогреть? Куриный?

Борис снова не задал вертевшийся на языке вопрос:

— А где твоя Настя-то?

Что, если Денис знает, где Настя? Вот тогда сам Борис будет выглядеть жалко.

Между тем Денис не выглядел ни расстроенным, ни обиженным, он был похож на человека, у которого просто не сложился день, вот как в этот раз — они же не нашли Надю! Если бы у него произошел конфликт с женой, он непременно бы это как-то прокомментировал, пусть скупо, всего несколькими фразами, но все равно. Ладно, чего гадать? Рано или поздно все равно все выяснится.

— Давай выпьем за наших женщин, — предложил тост Денис, когда стол был накрыт, перед Борисом стояла тарелка с дымящимся супом, а из закуски была предложена аппетитная квашеная капуста, маринованные фаршированные перцы, колбаса.

— Давай.

— Да ты не падай духом! Вот увидишь, все хорошо закончится, и мы найдем твою Надю. Она — нормальная, современная, здоровая молодая женщина. Ну, влипла в историю с какими-то криминальными деньгами. А может, она как раз отправилась сюда, чтобы их вернуть? Тебе такое в голову не приходило?

— Приходило. Но зачем же она тогда начала их тратить еще там, дома, когда спасала Катю, подружку свою?

— Вот такой она человек! Да она сейчас нуждается в твоей помощи, а не в презрении. И хватит уже фантазировать, понял?! Если бы у нее был любовник, то он дал бы ей деньги прямо в руки, а не передавал через кого-то, понимаешь? И ты сам заметил бы, если бы у нее кто-то появился... Мужики, вон, рассказывают, что это чувствуется... в постели... Ты вот что-нибудь чувствовал, ну, не знаю, что она стала холоднее к тебе, изменилась, стала ярче краситься, наряжаться, куда-то исчезать...

— Нет, — перебил Борис, — ничего такого не заметил.

— Я уверен, что она в беде, и ей нужна наша помощь. Твоя помощь. Но у вас, видимо, были такие отношения, что она почему-то не обратилась к тебе...

— Ладно, Денис, хватит... Я устал все это выслушивать. Вас с Настей послушать, так я не муж был, а монстр какой-то, тиран. А я любил... люблю Надю. Как могу. Может, и совершал ошибки, но только из-за любви, я очень боялся, что с ней или детьми что-нибудь случится. Поэтому и контролировал каждый их шаг.

— А ты думаешь, мне по работе не приходится сталкиваться с разными уродами, убийцами и насильниками? Но если всего бояться, то как жить? Совсем не выходить из дома? Или запереть свою семью, посадить под замок? Вон, уже темно, а Насти нет. Думаешь, я не переживаю?

— Кстати, а где она? — осторожно спросил Борис и проглотил кусочек колбасы, чуть не подавившись от волнения.

— Да все соседкой нашей занимается. Тут выяснилось, что у Ирины этой есть сводная сестра, она живет в Москве, замужем за одним бизнесменом. Ну, они нашли ее по соцсетям... Понимаешь, если бы Ирина могла вернуться к себе домой, то забрала бы записную книжку, да и из одежды что-нибудь прихватила... Представляешь, Данилов, урод, даже шубу ей не дал! Что за мужик?! Ну так вот. Ирина с помощью моей Насти нашла эту сестру, ее Полина, кажется, зовут, и она прилетела вчера поздно вечером в Адлер, девчонки наши ее встретили, поселили в гостиницу, ну, все рассказали... Настя же вчера вернулась поздно, вся на эмоциях, рассказала мне, как все хорошо устраивается. Эта Полина будет защищать права своей сестры, купит ей домик или квартирку, где бы она могла жить со своими детьми, придумает что-нибудь с работой, ну, чтобы на суде, когда Данилов захочет лишить ее родительских прав или просто решит забрать у Ирины детей, он не смог ничего предпринять... Если у матери есть собственное жилье плюс источник дохода, к тому же найдутся свидетели, которые подтвердят ее положительный моральный облик... Сам понимаешь, старик, у Данилова не останется никаких козырей. Вот этим вопросом моя Настя сейчас и занимается.

Денис улыбнулся, думая о жене.

— Она у меня такая. Как Робин Гуд. Всем старается помочь. Иногда мне приходится сдерживать ее, но потом я понимаю, что она действует правильно. Вот представь себе: попала твоя Надя в нехорошую историю, приехала сюда. Как ты думаешь, к кому она обратится в первую очередь? Правильно! К Насте! Ты же помнишь, как они подружились, как хорошо поладили!

Борис и Денис взглянули друг на друга и, не сговариваясь, вскочили со своих мест и бросились к лестнице, ведущей на второй этаж.

— Какой же я идиот!!! — простонал Денис, врываясь в темную комнату на втором этаже, где должна была проживать Ирина Данилова. — Она туда столько еды приносила! Ирина бы лопнула от такого количества котлет и салатов!

Он включил свет, который вспыхнул, осветив маленькую комнатку с аккуратно заправленной двуспальной кроватью. На спинке стула — женские вещи.

— Узнаешь? Это Надино? — Денис зацепил двумя пальцами бретельку от лифчика, кружевную майку, джинсы. — Ну? Чего молчишь?

— Денис, да откуда я знаю? У нее полно этих... всего этого... разных цветов... Я не знаю. А джинсы у всех одинаковые.

Денис решительно распахнул дверь, ведущую в смежную комнату — она вообще выглядела нежилой.

— Знаешь, что я тебе скажу? — проговорил он в сильнейшем волнении. — С одной стороны, это плохо, конечно, что мы не обнаружили здесь следов пребывания твоей Нади, видно, что здесь обитала Ирина... Вещи маленькие, как на куклу... Она же худенькая... А вот с другой — я рад. Честно. Рад, что Настя ничего от меня не скрывает. Ты понимаешь меня?

— Да, понимаю. Пойдем отсюда, а то они вернутся, а мы тут их белье разглядываем. Неприлично все это как-то.

Они вернулись в кухню. Выпили еще по рюмке водки.

— Ты правильно сказал, Денис, если бы Надя была здесь, то она действительно обратилась бы за помощью к Насте. Стопроцентно. И раз она не обратилась, значит, ее здесь, в Лазаревском, просто нет. И ты просто тратишь со мной время.

— Но мы же проверили, у нас есть показания свидетеля — проводницы, которая подтвердила, что она сошла в Лазаревском! Она видела ее!

— Вероятно, после Лазаревского она поехала куда-то еще.

— Или же ее держат насильно где-нибудь, откуда она не может убежать, не может связаться с Настей... — предположил Денис.

— Или не хочет, — упрямо возразил Борис.

— Знаешь, Боря, мне иногда кажется, что ты не столько переживаешь о своей жене, сколько о себе, брошенном и униженном. Это, если по чесноку, — нахмурился Денис. — Ты уж прости меня за прямоту.

— Да у меня все внутри переворачивается, когда я представляю ее с кем-нибудь! — взорвался Борис. — Ну не могу я представить, что она проехала столько тысяч километров одна, без любовника... Надя — обыкновенная, слабая женщина, которая каждый свой шаг согласовывала со мной! А тут вдруг такое. И детей бросила... Уф... ты не представляешь себе, что я испытываю...

Внезапно дверь распахнулась, и в кухню влетела, сияя глазами, радостно возбужденная Настя.

— Ужинаете, мальчики? Ну-ну, молодцы! Мне тут кое-что надо взять...

Она ловко взобралась на табурет, открыла верхний кухонный шкафчик и достала пухлую тетрадь в кожаном переплете.

По дороге к выходу притормозила, смешно, как подросток, ногами, обутыми в толстые шерстяные носки, заелозила по гладкому паркету, изображая фигуристку, окинула взглядом стол.

— Денис, а суп? Там целая кастрюля на террасе! Буженина, сыр... Мне просто некогда, понимаете?! У нас с Ириной — наполеоновские планы! Мы ей такой бизнес придумали! Пока ничего не скажу, чтобы не сглазить! Все-все, пока! Денис, я тебе потом позвоню, встретишь меня, хорошо?

— Ты хотя бы адрес сказала! — рассмеялся Денис.

— Да это тут, недалеко, на Лазаревской! Знаешь, такой розовый дом, трехэтажный... — она вдруг стала очень серьезной, и от ее пацанства не осталось и следа. Напротив, она посмотрела вдруг на мужа таким долгим и очень взрослым взглядом, словно хотела донести до него какую-то важную мысль, которую не могла или не имела право озвучить.

— Я знаю этот дом... — медленно проговорил Денис и перехватил молниеносный взгляд Насти, брошенный в сторону Бориса, как раз в эту секунду опрокидывавшего в себя водку из маленькой рюмки. — Да-да, я понял... Это все родственница, Полина, говоришь?

— Она говорит, что просто влюбилась в этот дом, будет приезжать сюда летом...

— Не на Мальдивы, значит, а в Лазаревское.

— Ну да! — Она по-прежнему не сводила взгляда с мужа, пытаясь передать ему телепатически важную информацию.

Денис кивнул. Он все понял.

— Ладно, мальчики, я побежала! Мы сейчас будем печь печенье... Вот, прибегала за своими рецептами... Да, кстати, Соня с нами!

Громко хлопнула дверь. Борис зачерпнул вилкой тонко нашинкованную, оранжевую от моркови капусту и принялся аппетитно хрустеть.

— Я бы свою никогда не отпустил, на ночь глядя, куда-то там с кем-то там печь печенье... — проворчал Борис.

— Не хочешь пройтись, воздухом подышать?

— Сейчас? Я согреться-то никак не могу...

— Борис, что-то ты окончательно раскис. Давай, поднимайся, надевай куртку, выйдем, пройдемся. Заодно проведаем Настю с Ириной, может, ты еще не понял, но наши женщины, я имею в виду Настю с Ириной, решили биться до конца за свои права, за детей!

Борис нехотя поднялся из-за стола, тяжело вздохнул, надел куртку, обулся и вышел следом за Денисом из дома.

Яркий свет садового фонаря облил серебром голые ветви фруктовых деревьев и часть улицы. Было тихо, тепло, но появившийся на ступенях крыльца Борис ежился от холода.

— Это нервы, — похлопал его по плечу Денис. — Пройдемся... Чувствуешь, какой воздух! И плечи расправь! Чего ты скукожился?! Борис, да возьми ты себя уже в руки!

Они медленно двинулись вдоль улицы. Денис пытался растормошить друга, начал рассказывать ему истории, связанные с его работой, какие-то анекдоты, вспомнил разные случаи из жизни отдыхающих, которые останавливались в их доме, и при этом вел себя естественно, и хохотал тоже от души, поскольку ему-то было хорошо известно, куда и к кому они направляются. Больше того, в предвкушении удивительного вечера, он едва сдерживался, чтобы не проговориться! Ну не мог он ошибиться, ведь этот взгляд Насти он хорошо знал! Только кто ответит на вопрос: телепатия это или любовь?

— Послушай, мы уже так далеко отошли от дома... Вокруг — ни души. Все нормальные люди сидят по домам, сидят на диванах, смотрят свои телевизоры.

— Какой же ты скучный тип, Борис! — воскликнул Денис, останавливаясь напротив дома, слабо освещенного уличным фонарем.

Это был трехэтажный особняк бледно-розового цвета с белоснежными наличниками. Электрический свет освещал лишь первый этаж, где часть окон была занавешена шторами, а большое двустворчатое кухонное окно было распахнуто, и оттуда вырывались пар и аромат ванили и свежей выпечки. Как экран огромного телевизора, окно показывало цветную картинку с движущимися в нем фигурками.

Денис, увидев Настю, чуть было не окликнул ее.

— Давай войдем, я покажу тебе, где проводит последние вечера моя жена, — сказал Денис, открыл калитку и, войдя во двор дома, поднялся на возвышение — круглую, выложенную камнями по периметру клумбу, сейчас присыпанную снегом и заледеневшую. — Забирайся, чтобы было лучше видно!

Борис поднялся и с видом мученика уставился в окно. Да, действительно, в кухне были женщины, две или три, они все перемещались по помещению, в цветных фартучках, блузках, чувствовалось, что в кухне жарко, из распахнутого окна доносились их веселые голоса и аромат горячего печенья. Потом в кухню забежали дети, послышались их веселые голоса, затем появилась девочка Соня, дочка Дениса, которая увела малышей из кухни, и их силуэты появились за полупрозрачными занавесками соседнего окна, видимо, комнаты.

— Что это за дом? — исключительно из-за вежливости спросил Борис, притоптывая от холода одной ногой.

— Этот дом теперь принадлежит Ирине, как я понял... Или часть дома, — он бросил на Бориса быстрый взгляд, чтобы проследить, куда он смотрит. — Видишь Ирину?

— Да я что, помню ее, что ли?

В эту минуту к окну подошла девушка и со словами «Что-то холодно стало» хотела было уже захлопнуть его, как вдруг Борис весь напрягся и схватил Дениса за рукав куртки. Сильно сжал его, больно при этом ущипнув.

Окно захлопнулось.

— Эта девушка... в косынке... Старик, по-моему, у меня крыша едет... Я понимаю, что там твоя Настя, Ирина... У тебя такого не бывает, что ты очень хочешь кого-то увидеть и в каждом образе видишь того, кого хочешь... у меня это с детства... Вот когда маму свою ждал в детском саду, то в каждой женщине, которая входила во двор, я видел именно ее. Даже когда заходил мужчина, и то мое воображение дорисовывало мамины черты... Вот и сейчас я увидел Надю. Конечно, далековато, и волосы спрятаны под косынкой...

— Просто ты очень хочешь ее видеть. Ладно, пойдем к ним, уж очень там уютно, тепло и пахнет ванилью. Заодно я узнаю, как продвигается дело Ирины. Я слышал, тот адвокат, который прежде работал на Данилова, сейчас занимается делами Ирины и ее сестры... Ну, пойдем! Может, у них тоже выпить что-нибудь найдется!

19. Лера. Станция Сенная, январь 2014 г.

— Родя. Ну, ты как, живой? — Лера повернулась к Родиону, крепко держащему руль купленного утром в городе микроавтобуса «Фольксваген», и просто залюбовалась им. — Ты — прирожденный водитель! По заснеженной дороге, по гололеду... Я, конечно, боялась, не скрою, да что там — я ночь не спала, все представляла себе, как мы с тобой поедем из Саратова до Сенной на нашем новом транспорте, но ты не разочаровал меня, напротив — я в восторге!

Родион, руки которого словно пустили корни в руль, все никак не мог поверить, что они доехали наконец до дома. Что позади трудная и опасная дорога со снежными заносами, с картинами чужих аварий с перевернутыми или разбитыми машинами.

— Да ты отпусти руль-то! Расслабься! — Лера, закутанная в пуховый платок, склонилась к Родиону и отцепила его руки. — И плечи тоже расслабь. Обещаю тебе, что в снегопад и вообще в плохую погоду никуда ездить не будем. Но приобретение мы с тобой сделали знатное! Теперь сможем возить в город и оттуда наших, местных, кому-то ковер или мебель, цемент или доски какие... Но главное, на этом микроавтобусе мы с тобой сможем путешествовать! Сделаем там постель, купим автомобильный холодильник для продуктов, палатку там, газовую печку и отправимся куда-нибудь... Ну, как мы мечтали!

Все, Родя. Я пошла ворота открывать, гараж, а ты заезжай.

Лера спрыгнула с подножки микроавтобуса, отперла калитку, вошла во двор и распахнула ворота. Что-то отвлекло ее внимание, она покрутила головой, пока еще не понимая, что произошло, в это время автобус въехал во двор, она бросилась запирать ворота. Приятное чувство собственницы охватило ее, когда она увидела микроавтобус уже в гараже. Такой серебристый, может, и не совсем новый, но выглядевший прямо как новенький.

— Да, Лера, я уж думал, что не доедем... — Родион спрыгнул на цементный пол гаража, подошел к задней дверце микроавтобуса и распахнул ее. — Ковер достаю?

— Конечно, доставай!!! Господи, как же я рада!

И только когда они вынесли ковер и стали подходить к крыльцу дома, оба, почти одновременно, заметили слабо светящееся окно кухни, как если бы горела лампа в прихожей и ее свет проникал в кухню.

— Я не включала утром свет, — опередила Лера вопрос Родиона. — А я думаю, что это меня так напрягло? Родя... Может, это Надя?

Имя внучки она произнесла шепотом, чтобы не спугнуть возникший образ любимой Наденьки.

— Вернулась? — так же тихо произнес Родион. — Вот тогда бы твоя душенька точно успокоилась!

— Вдруг это бандиты? Воры? Узнали, что никого нет, да и забрались в дом?! — ахнула она испуганно.

— А я говорил тебе, чтобы ты не оставляла ключ в старом башмаке под крыльцом, — проворчал и без того уставший и нервный Родион, едва передвигая ноги под тяжестью огромного нового ковра, который они несли вдвоем с Лерой. Уже много лет живя с этой женщиной, он никак не мог понять, где она черпает свою энергию! Ну просто конь, а не женщина! И при этом привлекательна и не стареет!

Эх, вот бы еще все обошлось с этим подозрительным светом в окне. Лера бы сейчас на стол собрала, выпили бы по маленькой, поужинали да и спать легли. Уж больно день тяжелый...

— Родя, дверь изнутри заперта, — прошептала, хватая судорожно мужа за руку, Лера. — Звони в полицию!

— Да подожди ты с полицией! — зашипел Родион, представив себе, какой поднимется шум вокруг, приедут полицейские машины, выйдут из своих домов соседи, а в доме, потом окажется, заперлась Надя, к примеру. Почему бы ей дверь-то за собой не запереть? — Лера, ну подумай сама! Вот если бы ты бандиткой была и проникла в дом, стала бы запираться? Смысл? Думаю, ты бы вынесла все, что нужно, да и сбежала бы. А тут — свет в окне, дверь заперта. Да там кто-то из своих, говорю же, Надя! Кому еще-то быть?

Родион постучал, и почти сразу же за дверью послышались чьи-то мягкие шаги, дверь открылась, и на пороге при свете уличного фонаря они увидели высокого молодого человека в джинсах и свитере. Круглые очки в металлической оправе придавали ему беззащитный и добродушный вид.

Лера обомлела. Сердце ее под тремя теплыми кофтами и дубленкой (утеплилась в дорогу!) заколотилось, а мозг никак не мог воспринять образ незнакомого парня-очкарика вполне интеллигентного вида.

Родион тоже молча рассматривал молодого человека.

— Вы кто? — первой пришла в себя Лера. — Что вы делаете в моем доме?

И тут незнакомец распахнул дверь, как бы приглашая их войти, даже волнообразные жесты руками делал, мол, давайте, входите, и все твердил тихо так, словно играя словами: «Фрау Лида... Фрау Лида..»

У него был сильный акцент.

— Ты что, иностранец? — догадался наконец Родион, осмелев и уже более уверенно входя в дом. Ковер был благополучно прислонен к стене дома и забыт.

В доме было темно, не считая единственного светильника в прихожей, освещавшего все вокруг приглушенным оранжевым светом.

— Я — Питер, — прошептал доверительным тоном парень на ухо Родиону. — Питер. Там, — он взял Родиона за руку и потянул за собой в большую комнату, — фрау Лида.

Глаза быстро привыкли к полумраку, и Родион с Лерой, вошедшей следом за ним, увидели на диване спящую женщину. Она спала лицом к спинке дивана, выставив на обозрение обтянутый черным тесным платьем задок, стройные икры женщины были обтянуты прозрачными светлыми чулками или колготками. Родион включил свет, и женщина стала ярче, реальнее, загорелись золотистой рыжиной ее блестящие, остриженные по плечи кудри, а платье стало еще чернее, а материя — плотнее, теплее. Маленькие ступни под прозрачным нейлоном были нежно-розового цвета.

— Господи, Надя... Постриглась... — растерянно улыбнулась, обращаясь к мужу, Лера. — А этот... С ним, что ли, она сбежала от Бориса-то?

Между тем молодой человек сел на стул рядом с диваном, выпрямив спину и уложив большие белые ладони на колени.

— Ну и слава богу, — вздохнула с облегчением Лера, перекрестив спящую. — Родя, пойдем, занесем ковер-то...

— Да мы сами, ты иди, Лера, согрей ужин... — Родион тронул парня за плечо и знаком приказал следовать за ним.

Пока мужчины вносили ковер, Лера, вместо того чтобы идти в кухню, оставшись наедине с внучкой, опустилась перед ней на колени, села на ковре, чувствуя, как отпускает ее боль в груди, как расправляется светлым солнечным облаком внутри ее душа от сознания, что самое любимое существо на свете, Надя, жива и здорова и что она, поплутав впотьмах своей судьбы, пришла все-таки к ней, к своей бабушке, к своей Лере. Значит, ближе ее у нее никого и нет. Разве что нашла она свою любовь? Этого мальчика в круглых смешных очках? Ну что ж, это ее жизнь, ее выбор... Значит, так хорошо было ей с Борисом, что она сбежала от него, как от чумы!!!

Лера не удержалась и провела ладонью по теплым кудрям внучки.

— Надя, Наденька... Господи, как же хорошо, что ты вернулась!

Надя начала просыпаться, перевернулась на спину, потянулась всем телом и открыла глаза.

Лера, увидев ее лицо, от удивления открыла рот. Хотела что-то сказать, но не смогла.

— Я ключ нашла... в башмаке, — услышала она низкий, хрипловатый голос.

Женщина улыбнулась. Нет, это была не Надя. Но лицо светлое, красивое, хотя черты более резкие, даже грубоватые, а взгляд одновременно и родной, и чужой.

— Мам, ты прости, что без предупреждения... Хотела вот тебе сюрприз сделать...

И Лида, дочь, которую она не видела почти четверть века, поднялась, одернула платье и потянулась к матери, обняла ее, прижалась к ней.

— Ма, ты потрясающе выглядишь! — Лида крепко поцеловала ее в обе щеки. — Даже не ожидала... А мне сколько дашь?

Она вдруг проворно вскочила, еще раз одернула черное трикотажное платье, подчеркивающее ее стройную фигуру, полную грудь.

— А я как выгляжу? Вот сколько ты бы мне дала?

— Да я вообще думала, что ты — Надя... — по щекам Леры покатились крупные горячие слезы. — Господи, ты снишься, что ли, мне, Лида? Не могу поверить... Дай-ка я на тебя полюбуюсь! Невероятно!

Лера отошла на несколько шагов от дочери, чтобы привыкнуть к ее образу, к ее появлению, чтобы убедиться, что это не сон.

Замужеству юной Лиды предшествовало три дня знакомства с парнем по имени Яша. Яша Потехин. Было даже в самом имени его что-то очень несерьезное, шальное, веселое. Быстро расписались и уехали в Якутию — деньги зарабатывать. Лида вернулась к матери — рожать. Родила Наденьку, пожила недолгое время и снова уехала. Первое время письма писала, даже деньги присылала, а потом и вовсе исчезла. И вот так, время от времени давала о себе знать, что, мол, жива. То открытку к Новому году пришлет, то письмецо, состоящее из нескольких строк. И не потому, что нечего было писать, а от стыда. Так, во всяком случае, думала о дочери Лера. Уж так запуталась в своей жизни, столько ошибок совершила, что решила окончательно порвать с прошлым и жить, не оглядываясь. Вот только как было объяснить все это маленькой Наде, которая росла без родителей?

«Дай-ка я на тебя полюбуюсь», — сказала Лера дочери, и не случайно. От сердца сказала.

Если бы ей кто сказал, что она произнесет именно эти слова в адрес своей блудной дочери, она бы не поверила. Всякое представляла она, думая о Лиде, разную жизнь ей рисовала, но конечный портрет всегда был приблизительно одинаков: побитая жизнью женщина с разрушенной психикой и, конечно, здоровьем. А это подразумевает испорченные зубы, постаревшую и огрубевшую кожу, больные волосы, если вовсе не безобразная клиническая картина типичной алкоголички.

А тут перед ней пышущая здоровьем вполне еще молодая, хоть и сорокасемилетняя женщина, с прекрасной кожей, пышной рыжей гривой и веселыми глазами! Красивая, холеная!

— Я рада, рада, что ты здесь... Трудно вот так все осмыслить... Лидочка, давай я ужин соберу, а потом сядем и нормально поговорим. Ты не возражаешь? Просто у нас с Родей сегодня был тяжелый день, я пойду в кухню, если хочешь, пойдем со мной, поговорим!

Ее теперь звали фрау Герстнер. И жила она в Германии. Вдовствовала уже три года, ее муж, который был старше ее почти на тридцать лет, умер, оставив ей солидное наследство.

Ужин готовить не помогала. Сидела за столом, нервно царапая скатерть своими ухоженными лакированными красными коготками, рассказывала о себе так, как имеет право рассказывать женщина, вытянувшая выигрышный лотерейный билет.

С Потехиным рассталась почти сразу же, как вернулась в Якутию после родов. Яшу примерно в это же время посадили за кражу алмазов, потом он вышел, и следы его затерялись...

Лида почти десять лет жила в Москве, работала администратором в каком-то театре, там же подрабатывала буфетчицей, потом отправилась на заработки в Германию, работала там в ресторане официанткой, подрабатывала по ночам в клинике сиделкой, где и познакомилась со своим будущим мужем, бизнесменом Герстнером.

Молодой человек в очках — ее пасынок, Петер, который влюблен в нее безумно. Очень хороший человек, порядочный, умный, у него свой бизнес. Они собираются пожениться.

— Мама, ты только не падай, но я беременна от него, — сказала Лида, и от этого известия Лера просто бухнулась на стул, уронив пачку салфеток на пол.

К этому времени в кухню вошли Родион с Петером. Стол уже был накрыт, Лера и не заметила, как заставила его закусками, бутылками, приборами.

— Вот, мама, познакомься. Это — Петер, — Лида ласково провела лапкой по его плечу. — Правда, он — прелесть?

— Очень приятно, — у Леры от всего, что она услышала и успела себе представить, закружилась голова. — А это мой, можно сказать, муж — Родион Васильевич.

Петер подскочил и слегка наклонился в знак приветствия Лере и Родиону.

— Вообще-то он мало что понимает по-русски, — улыбнулась Лида, с нежностью глядя на своего молодого жениха. — Но категорически не хотел меня отпускать одну в Россию, сказал, что боится за меня... Не то что здесь по улицам медведи ходят, но в смысле безопасности жизни здесь как-то неважно... Словом, у него есть свое мнение по поводу России...

Лера хотела спросить ее в лоб: зачем приехала, зачем покинула свою комфортную и прекрасную Германию, которую так нахваливала весь вечер, ведь пролетела и проехала столько километров! Хотела спросить, но так и не решилась. Сама скажет, решила она. Уж во всяком случае, не для того, чтобы увидеть мать. Уж в это бы она точно не поверила.

Смутная догадка, что ее приезд как-то связан с Надей, с ее исчезновением, обожгла ее...

О чем только не говорили за столом! Лида рассказывала о своей жизни в Германии, о доме, в котором живет, о своем образе жизни, при котором ей не приходится заниматься хозяйством, потому что есть прислуга и кухарка. Расспрашивала Леру о ее жизни, о хозяйстве, о курочках и гусях, Родиона — о пчелах. Потом вспомнила, что привезла подарки, и принялась выкладывать на стол разные пакеты, коробочки с блузками, косметикой, украшениями, духами, конфетами. Под конец протянула матери конверт с деньгами.

— Это тебе, мама.

Лера все ждала, когда же она спросит о дочери, но время шло, а Лида упорно продолжала вести себя так, словно Нади, ее дочери, не существовало.

Лера несколько раз порывалась спросить ее, интересует ли ее вообще судьба дочери, и каждый раз она сдерживалась, опасаясь, что не выдержит и нагрубит Лиде. Что засыплет ее упреками, а потом и вовсе расплачется.

И вдруг поняла, что и сама-то не готова к вопросам о Наде. «Где Надя?» — спросит Лида. И что Лера ей ответит? Что она сбежала от мужа? Что бросила своих детей, как когда-то и сама Лида бросила Наденьку? Получается, что Лера не уберегла внучку, что упустила тот момент, когда они с Надей были по-настоящему близкими людьми и могли доверять друг другу. Вот почему Лера ничего не знает о Наде.

Ситуация складывалась сложная.

И только Родион, выпив и плотно закусив, сидел за столом в полудреме, блаженно улыбаясь. Его мечта сбылась — симпатичный и мощный «Фольксваген» стоял в гараже, готовый к новым сельским подвигам. К тому же рядом с Родионом была Лера, которую он просто боготворил и без которой, как ему казалось, не смог бы прожить уже и дня.

— Вам вместе постелить? — тихо, на ушко спросила Лера дочь в конце ужина, проводив Родиона спать.

— Ну да, конечно, — расплылась в счастливой улыбке Лида.

— Хорошо, я пойду постелю, а ты тут... — она вдруг вспомнила, что Лида привыкла к прислуге и не станет мыть посуду, но все равно улыбнулась. Что ж, почему бы и нет? Кто сказал, что это плохо — иметь прислугу? Значит, ее дочка хорошо устроилась в этой жизни. Не то что Наденька, которая целыми днями все убирала и чистила дома.

— Мам, ты не беспокойся, я пойду сейчас, усажу Питера в кресло перед телевизором, а мы с тобой потом, не спеша, постелем постель... И посуду я тебе помогу перемыть. Я же не в Германии, а у себя дома. И ты — не служанка.

— Мам, я боялась этого разговора... — сказала Лида, когда они остались вдвоем в кухне. Она переменилась в лице, глаза ее наполнились слезами. — Очень боялась. Но как ты скажешь, так и будет.

— Что случилось, Лида? — встревожилась Лера. — Не пугай меня...

Она снова связала приезд дочери с Надей.

— Ведь я — очень плохая мать. Очень. Мне еще не поздно сделать аборт. Как ты думаешь, я смогу воспитать нормального ребенка? Или мне вообще нельзя доверять детей?

Лера не знала, что ей ответить.

— Мама, я очень, очень плохая мать. Жизнь слишком далеко меня занесла, отсюда не видать... Но я знала, что Надя тебе — как дочь, потому была спокойна за нее. Знала, что ты правильно воспитаешь девочку. И я очень, очень тебе благодарна за нее.

— Ты что-нибудь о ней знаешь? — Лера затаила дыхание.

— Я все узнала от Яши... Вот уж кто-кто, а он-то точно меня удивил... Отец, как ни крути! А Надя — его единственная дочь.

— Постой... Яша? Потехин? Твой муж?

— Ну, да. Он недавно нашел меня... Он болен. Тяжело болен. Мы связались с ним по Интернету. Я видела его, его не узнать... Он очень изменился. Жизнь его тоже побила, крепко побила. Но кое-что он успел и увидеть, испытать, пережить, нажить... Он умирает, мама.

И вот перед смертью он решил выполнить, как он выразился, хотя бы часть своего родительского долга по отношению к Наде. Он отправил к ней своего человека, домой, который передал ей сумку с деньгами. Как бы ее наследство. Я так понимаю, там была крупная сумма. Сам он прийти уже не мог, он вообще не встает... Однако он хотел как-то проконтролировать, проследить за тем, как она эти деньги будет тратить, вернее, чтобы она не была дурой, как выразился Яша, и не отдала эти деньги мужу... Понимаешь, он не очень-то хорошо отзывался о нем, сказал мне, что у них сложные отношения... Гладышев для него — «мусор», «мент»...

— Да что он может о нем знать?! — взорвалась возмущенная Лера. — Он что, следил за ней? А подойти не смог?! Да что вы за родители такие?

— Послушай, мама, здесь не все так просто... Яша — бандит, преступник, понимаешь?

— Час от часу не легче...

— Ты думаешь, Надя была бы счастлива это узнать? А так — взяла отцовские деньги, и все! У нее семья, дети, деньги помогли бы решить множество проблем! Это Яшины слова.

— Ничего-то вы оба про Надю не знаете...

— Послушай, я сейчас не об этом. После того как Наде были переданы эти деньги, она исчезла. Яша, вернее, его люди упустили ее... Или же с ней случилась беда, понимаешь? Самое ужасное будет, если она с этими деньгами придет в полицию, решив, к примеру, что это взятка ее мужу, следователю! Я-то не знаю, сколько там денег, но если много, она могла испугаться за мужа, что он попадет в историю... Что начнутся расспросы, а она-то ничего не знает!

Ладно, я расскажу тебе все по порядку. Но все со слов Яши.

О рассказал мне, что когда-то давно, когда Надя была еще девочкой и училась в школе, у нее был роман с одним человеком, Яша его хорошо знал... Виталий Бузыгин. Очень опасный человек, он мог бы испортить жизнь Наде, из-за него она могла сесть в тюрьму за убийство, которое не совершала... Думаю, тебе об этом все известно...

Лера не проронила ни слова.

— Ну, хорошо, вижу, что ты в курсе... Так вот. Яша в свое время подсуетился, и Надю отпустили...

— Яша? — встрепенулась Лера. — Яша, говоришь, подсуетился? А разве не Борис?

— Ты про ее мужа? Шутишь? Нет, конечно! Борис был там мальчиком на побегушках, одно слово — стажер!.. Я все говорю тебе со слов Яши, ты понимаешь, да? Но Надя, конечно, думает, что своим освобождением она обязана Борису, и пусть...

— Пусть? Да она никогда его не любила и вышла замуж из чувства благодарности! Почему твой Яша ей ничего не сказал?

— Он не думал, что все это так важно, главным было, чтобы ее выпустили! И Яша это сделал. Я так поняла, что он и сам-то в эти годы находился в местах, не столь отдаленных, понимаешь, однако он еще тогда был в авторитете, у него были связи, он многое мог.

— Лида, это у вас что — наследственное, влюбляться в преступников? — не выдержала Лера.

— Мама... Все это лирика. Сейчас надо спасать Надю. Слушай внимательно.

Этот Виталий Бузыгин... Его убили на зоне, почти сразу, как он сел, Яша говорит, что за дело, гнилой был человек и многое натворил. Но его убийство кое для кого было очень некстати. Яша сказал, что на тот момент решался вопрос о снятии с должности начальника колонии, то есть его могли снять, а могли и оставить, там какие-то внутренние интриги, впрочем, как и везде... Так вот, смерть Бузыгина решили скрыть, и в колонию вместо него посадили какого-то бомжа, который ни сном ни духом, что называется... Дали денег его дочери, которая на тот момент жила в интернате, уже взрослая девочка, выпускница, и этот товарищ, отец ее, согласился за деньги отсидеть за Бузыгина срок под его именем. Таким образом реальный Виталий Бузыгин был убит, а человек по его документам просидел довольно долго и год назад вышел на свободу.

— Ну, теперь все ясно, почему такая путаница произошла... Ведь когда Надя исчезла, мы все подумали, что она сбежала как раз с Бузыгиным!

— Не вы одни так подумали. Яша тоже так предположил. Просто сопоставил некоторые факты, к примеру, тот романтический ореол вокруг его личности, который так впечатлил и вдохновил Наденьку в свое время и который мог вновь вспыхнуть под влиянием последних событий... Я имею в виду деньги. Надя в жизни не видела такого количества валюты, предполагаю, что Яша передал ей, быть может, даже двести тысяч евро, и задав себе вопрос, кто бы мог осчастливить ее сегодня такой суммой, она могла предположить единственного кандидата на роль миллионера-воздыхателя — Виталия Бузыгина. Тем более что достаточно ей было собрать информацию о нем, чтобы узнать, что он освободился примерно год назад. Прибавив к дате освобождения двенадцать месяцев упорного преступного труда (здесь фантазия Нади, думаю, просто зашкаливала), мы и получаем результат: внезапное и фантастически романтичное возвращение возлюбленного с мешком денег, которые он и положил к ее ногам.

— Так значит, это Яшины деньги... Что ж, это, конечно, не плохо. Только куда она с ними могла подеваться? — Лера намеренно решила умолчать о том, что знала сама об этом деле. Куда важнее было услышать Лиду.

— Возможно, первым порывом ее было увидеть Бузыгина, а почему бы и нет? Ведь когда-то она его очень любила, просто безумно, иначе не наделала бы столько глупостей... Однако, придя в себя и прижав к груди своих детишек, она вдруг поняла, что может лишиться всего этого, появись Бузыгин в ее жизни. Он бы все разрушил! Вот она и отправилась на его поиски, чтобы вернуть ему эти деньги. Ну, дурочка, что сказать! Это вместо того, чтобы потратить их с умом, сделать так, чтобы ни она, ни ее дети никогда и ни в чем не нуждались!

— Лида, ты знаешь, где она?

— Нет, — Лида поджала губы. — Я, собственно говоря, приехала в Россию, к тебе, мама, чтобы ты успокоила ее и рассказала, откуда эти деньги. Чтобы она не боялась, что они попали к ней случайно, что предназначались другому человеку, понимаешь? Чтобы она понимала, что эти деньги теперь принадлежат ей и она вправе распоряжаться ими по своему усмотрению. Ты вот сказала, что она не любит своего мужа. Так вот пусть уходит от него! Забирает детей — и вперед! Каждый человек имеет право на счастье!

— Ты только для этого приехала сюда! — Голос Леры дрогнул. Нет, конечно, это на самом деле важная причина, но почему тогда так кольнуло сердце?

— Мам, ну, конечно, не только для этого. Я очень, очень хотела увидеть тебя, обнять. Сказать тебе, что у меня все хорошо и что я беременна. Попросить твоего благословения. А еще... Еще, чтобы ты помогла мне поговорить с Надей... Я боюсь... Мне страшно. Просто теперь, когда у меня в жизни все сложилось, мне хочется, чтобы все мои близкие были счастливы. Разве этого мало для приезда?

Лида обняла мать, положила ей голову на плечо.

— Мне нужно сказать Наде одну важную вещь, очень важную... Быть может, кто-то думает по-

другому, но мне в мои сорок семь вдруг стало как-
то все ясно и понятно... Словно я нашла какой-то
драгоценный рецепт, которым нужно непременно
поделиться с самыми близкими...

— Со мной ты тоже поделишься?

Лида еще крепче прижалась к ней.

20. Надя. Саратов, 2014 г.

Наверное, все там, внизу, считают, что поступи-
ли правильно, отправив их двоих наверх, в спальню. Нет, никто из них не предполагал, что эта ши-
рокая кровать станет их супружеским ложем, нет,
просто эта комната находится на третьем этаже, и
сюда не доносятся звонкие голоса детей, веселый
женский смех, звяканье посуды, все то, что может
отвлечь или вызвать ассоциации не к месту.

— Не включай свет, — сказала Надя, когда Борис прикрыл дверь и она заметила, как он шарит
рукой по стене в поисках выключателя. — Не надо.
Позже. К тому же смотри — за окном все голубое
от фонаря, снега... Светло и все видно.

Она подошла к окну и долго смотрела, как па-
дают снежинки.

Сколько раз она представляла себе эту встречу и
каждый раз видела мужа в роли обвинителя.

Сколько словесных заготовок она придумала,
чтобы объяснить свои поступки, и вот сейчас, когда ей надо было что-то говорить, объяснять, желание почему-то пропало.

Что он хочет от нее услышать? Что ею двигал страх, когда она, взяв эту сумку с деньгами, поняла, что обратного хода нет, что сумка уже у нес и с ней надо что-то делать...

Мысли кружились каруселью в голове, призрачными бледными фигурками оленей и сликов двигались по гладкой стене, до озноба, до прозрачности чувств.

— Ты по-прежнему считаешь, что у меня есть любовник? — спросила она, первая заполнив комнату звуками.

— Не могу представить, что ты проделала такой длинный путь одна, самостоятельно... — тихо проронил Борис и закашлялся, прочищая горло.

Надя стояла лицом к окну, и он подошел и встал за ее спиной, едва сдерживаясь, чтобы не обнять.

— Правда, хорошо разыгрывать роль благодетеля, героя, тем более что тебе ничего это не стоило?.. — Вот не хотела она это говорить, но слова вырвались словно помимо ее воли.

— Ты о чем?

— 2001 год, мне шестнадцать лет, и я в камере, сижу и жду, когда же закончится следствие, и меня, девчонку, посадят. За убийство. И еще один Бог знает, за что. Ты хорошо помнишь это время?

— Да. Тогда я был способен даже на то, чтобы организовать тебе побег! Я бы сам разбил окно в кабинете во время допроса, чтобы только дать тебе возможность бежать! Я бы не допустил, чтобы тебя посадили. Я любил тебя, понимаешь? Я был, как безумный! Мозг полностью отключился. А еще я страшно ревновал тебя к этому парню, из-за которого ты и попала в эту историю...

— Как все произошло, расскажи. Мне нужна правда.

— Я не сразу понял, кто он. Нам организовали встречу. В тюрьме, где он отбывал срок. Этот человек... От него исходила такая сила. Он был мощным, как стихия. И буравил меня взглядом. Он хорошо изучил мое досье, биографию. Сказал, что через два дня тебя отпустят и чтобы я сказал тебе, что твое освобождение — моя заслуга, дело моих рук и моей работы. Следователь, который вел дело, получил хорошие деньги.

— Но зачем, зачем ему было делать из тебя героя?

— Просто он решил, что я стану тебе хорошим мужем.

— Но как он мог это предположить?

— Потому, что я — полная противоположность Виталию Бузыгину.

— Бред!

— Какой же бред, если все вышло так, как он и запланировал?! Ты ведь согласилась выйти за меня замуж, не любя меня, — последние слова он проговорил с трудом, поскольку горло его пересохло от волнения. Он с силой сжал Надю за плечи, прижался к ней, дыша ей в затылок. — Надя, родная, ради наших детей, ради нас самих, ради нашего будущего — возвращайся ко мне. Я прощу тебе все!

Она резко развернулась.

— Борис, да тебе не за что меня прощать. Я ни в чем перед тобой не виновата. И никакого любовника у меня нет.

— Но кто же тогда прислал тебе деньги?

— Мой умирающий отец, тот самый человек, который когда-то был очень, как ты выразился, мощным, как стихия. Просто я не знала, от кого деньги, и поехала искать Бузыгина, думая, что эти деньги от него. Здесь, в Лазаревском живет его сестра, и я думала, что она поможет мне найти его, чтобы вернуть деньги. Я не хотела, чтобы он снова появился в моей жизни, в твоей, чтобы он разрушил наш брак.

— Но ты могла бы рассказать все мне!

— Ты сам-то слышишь себя, Боря? — Она ласково погладила его по щеке. — Ты просто возьми и сосредоточься, представь себе эту сцену, когда я показываю тебе сумку, полную денег и украшений, и объясняю тебе, что хотела бы вернуть все это хозяину...

— Боже...

— Бузыгина я не нашла, поскольку он умер в том самом 2001 году... Но мой путь, мое долгое путешествие во время его поисков открыло мне глаза на многое... Я и раньше знала, что жизнь — штука жестокая, трудная и что надо прилагать множество усилий, чтобы вообще выжить, но не знала, что иногда человека может спасти другой человек, которому больше повезло, который более сильный...

Поняла я и то, что жизнь очень хрупка и коротка, чтобы проживать ее безрадостно, в страхе перед мужем, таким человеком, как ты, с человеком, который почему-то решил, что я должна принести себя в жертву семье... Но семья — это не тюрьма, Боря.

— Теперь все будет по-другому. Ты можешь оставаться свободной в браке...

— У меня другие планы.

— Надя, прошу тебя, очнись, проснись, это я, твой муж, Борис! Что за бред ты несешь! Какие еще другие планы! Разве в твои планы не входит вернуться домой, к детям?

— Я собираюсь купить здесь дом, а пока мы с мальчиками будем жить в этом доме, вместе с Ириной и ее детьми. Мы выкупили пекарню и собираемся весной открыть здесь чайный дом. Сейчас мы втроем — я, Ирина и Настя — собираем рецепты сдобы и пирожных для нашего чайного дома. Вот о каких планах идет речь.

— Ты не вернешься домой?

— Лера едет сюда с мальчиками. И с моей мамой, представь себе! А ты, Борис, возвращайся домой, у тебя работа...

— Значит, развод?

— Думаю, да. Но чуть позже. У меня слишком много дел. Разве что тебя заставят поторопиться с разводом.

Борис рванулся к стене и включил свет. Надя закрыла лицо ладонями.

— Да что происходит? Ты разыгрываешь меня? Ты нарочно изводишь меня всеми этими разговорами?! Кто, кто еще может заставить меня поторопиться с разводом?

— А ты не догадываешься? Какой же ты после этого следователь? Кто накормил тебя супом, который оказался настолько вкусным, что ты остался ночевать у хозяйки? Кто, воспользовавшись моей добротой и моими деньгами, решил, что этого недостаточно и что надо бы, пока не поздно, прибрать к рукам и моего мужа? Кто внушил тебе мысль, что у меня есть любовник? Вот и поезжай к ней!

— Но ничего такого не было... клянусь...

— Ты еще нашими детьми поклянись... Я воспользовалась ноутбуком Насти, мы вместе с ней искали варианты оформления нашего чайного дома, и я не могла не заглянуть в свою почту. И знаешь, кто написал мне? Катя! В письме она подробнейшим образом описала, как прошел ваш вечер, объяснила мне, что у нас с тобой нет будущего и что мы друг другу не подходим...

— Вот дура! — в сердцах воскликнул Борис. — Какая же она идиотка!

— Не суди ее строго. Как могла — утешила. По-своему. По-женски. Ты изменил мне, Боря.

— Но мы не можем вот так взять и расстаться! У нас семья, дети!

— Вот именно! И я сделаю все, чтобы мои дети были счастливы, свободны и ни в чем не нуждались. Мы, три женщины, будем работать с утра до ночи, чтобы только ни от кого не зависеть...

— Может, Ирина и зависела от мужа, но не Настя...

— Но с Настей-то что не так? — застонал Борис, и Надя почувствовала вдруг, каким слабым стал ее муж, взявший, вероятно, семью Насти и Дениса за образчик благополучной и гармоничной семьи. Разочаровывать его в этом сейчас, когда он был так несчастен, да к тому же разоблачен и близок к психологической катастрофе, было бы очень жестоко. И поэтому, вместо того чтобы открыть Борису глаза на брак их друзей, на постоянные измены Дениса, Надя вдруг подошла к нему близко, обвила руками его шею и поцеловала коротким сухим поцелуем в губы.

— С Настей все в порядке, Боря.

Картины возможного будущего, связанные с разводом, замелькали перед внутренним взором Нади. Она увидела растерянные лица своих детей, слезы в их глазах и глазах свекрови, опустевшую детскую в их саратовской квартире, убитого одиночеством и отчаянием Бориса, сидящего в своем кабинете в прокуратуре, даже услышала голос воображаемого судьи, принявшего решение расторгнуть брак...

В сущности, так ли уж виноват Борис в том, как сложились их отношения в браке? И разве выдуманная ею любовь к нему, как суррогат благодарности за спасение, не сделала свое черное дело, не дала Борису надежду на счастье?

Вернувшись домой, Борис сразу попадет в руки Кати, она не отстанет от него, станет ему внушать мысль, что детей у Нади надо отобрать, что она преступница и мошенница. И ведь самой Кате покажется, что она делает доброе дело, спасает семью. На самом деле она сейчас уже наверняка готова взвалить на свои хрупкие плечи чужих детей и заблудившегося в своих чувствах Бориса.

— Боря... — Она бережно подняла его ладонями подбородок и заглянула в глаза Борису. — Боря...

Она первый раз видела, как Борис плачет. Борис, которого она, несмотря ни на что, считала человеком сильным, пусть и живущим в своем мире представлений и принципов, оказался бессилен перед любовью.

Да, ей было тяжело и скучно с ним. Да, он каждую минуту держал ее, что называется, на прицеле своего внимания, ревности и собственнических замашек. Да, он подразумевал полное подчинение себе всех членов семьи, включая и жену. Да, он не давал ей возможности учиться, развиваться и быть, наконец, собой. Но разве не он был нежным и ласковым мужем, заботливым и ответственным отцом семейства? И разве все эти качества не перевешивают ее желание быть той Надей Юфиной, какой она была до встречи с ним? И так ли уж хороша была та, другая Надя? Пусть она сейчас другая, но все равно — это она.

Борис, прочитав в ее глазах готовность забыть все то, что только что больно ранило его, почти убило, крепко обнял ее, поднял на руки и понес к кровати.

Никогда еще он не был с ней так предупредителен, так неистово нежен, переполнен любви и желания. Надя же, закрыв глаза, видела себя в заснеженном доме, в теплой спальне, в объятиях любовника, в жилах которого бурлила кровь, замешенная на желании все разрушать, убивать и, одновременно, нежно любить единственное существо на земле — ее, Надю. И это он ее напоил сладкой отравой, чтобы им вдвоем отправиться в настоящий ад...

Но в аду оказался только он. Она же, запомнившая на долгие годы вкус его поцелуев и жар рук, хотела одного — утоления, покоя. Всего того, что обрела она только сейчас, на третьем этаже розового дома, пропитанного запахами ванили, в спальне, где еще недавно чуть было не казнила свою новую любовь.

— Подожди минутку... — Надя аккуратно застелила постель покрывалом и уложила четыре подушки одну на другую, ровнехонько. Поправила чуть съехавшую в сторону акварель в рамке на стене, выстроила в ряд на полочке фарфоровых лошадок, сложила стопкой влажные полотенца в корзине в ванной комнате, привела все окружающее ее пространство в порядок и только после этого успокоилась, приготовилась к тому, чтобы покинуть спальню.

Они спустились вниз розовые от смущения, и вся компания за столом сделала вид, что ничего особенного не произошло. В глазах Насти и Ирины читался вопрос: не передумала ли Надя жить в Лазаревском, открывать чайный дом?

Денис широко улыбался, готовясь, однако, к серьезному разговору с Борисом, которого он собирался уговорить перебраться в Лазаревское и устроиться работать следователем в прокуратуру. Дети Ирины носились по кухне, хохотали и визжали, радуясь возможности быть рядом с мамой, зная, что теперь все будет хорошо.

В это время в темном ночном купе поезда Саратов — Адлер, укрывшись одеялами, мчались к морю маленький, объевшийся за ужином шоколадом Денис, убаюканный мечтами о маме Володя — два брата, не подозревающие о том, что в животе их родной бабушки Лиды, спящей на нижней полке слева, с каждой секундой прибавляет в весе их дядя, а прабабушка Лера, спящая на нижней полке справа, видит в своем густом на события сне деда Родиона, воюющего со своими пчелами при помощи сверкающей сабли...

Лида Герстнер долго не могла уснуть, нервничала перед встречей с дочерью. Как сокровище, как бриллиант, везла она главный свой совет дочери, рыжеволосой и наверняка такой же страстной и безумной, как она сама в молодости: «Не поддавайся страстям, любви, живи рассудком». Только благодаря рассудку она сама, Лида, вышла замуж за старого Герстнера и обрела покой, благополучие, а сейчас и свою любовь. Прислушается ли к ней Надя? Обнимет ли ее при встрече?

В этот же час в одной из московских квартир не спал старший сын Гольдмана, вдовец Михаил. Разыскав Женю Гольдман, свою мачеху, годившуюся ему в дочери, а то и во внучки, и добившись ее приезда, он, встретив ее в своей огромной и пустой московской квартире, долгое время извинялся перед ней, поил красным вином и кормил жареной уткой. И единственное, чего он хотел, это услышать от нее, абсолютной бессребреницы, отказавшейся от своей, причем немалой доли наследства, правдивый рассказ о последних часах жизни своего отца.

Женя, потрясенная таким воистину человеческим поступком Михаила, человека, из-за которого, в сущности, она и сбежала, оставив покойного мужа в поезде, удовлетворенная разговором со своим представительным пасынком, крепко спала, впервые после пережитых в поезде Саратов — Адлер событий. Разговор закончился предложением Михаила перебраться Жене в Москву с перспективой работы в одном из его ресторанов и проживанием в его квартире. Женя обещала подумать.

А на станции Сенная в этот час пили самогонку Родион Чащин и Петер Герстнер, закусывая солеными ядреными огурчиками и маринованными груздями. И были они по-своему счастливы.

Катя Строганова, сидя на диване в своей отвоеванной не без помощи Нади квартире и мечтая о семейном счастье с Борисом, брошенным женой (авантюристкой, а может, и преступницей) Надькой Юфиной, листала журнал «Домашний интерьер», выбирая цвет стен для детской комнаты, в которую собиралась поселить сыновей Бориса — Дениску и Володю. Остановилась на лимонно-желтом.

Для Антонины и Георгия Агашевых этот вечер был полным на события: они приняли роды аж у восьмерых коз, и все козлята — двойни! Поднявшись в дом, чтобы немного передохнуть, они выпили по большой кружке крепкого кофе и снова спустились вниз, в родильный сарай — должны были разродиться еще четыре козы.

— Поедем завтра в храм Николая Чудотворца, а, Гоша? Помолимся о Надежде, пусть она будет здорова и счастлива! Обещала на этой неделе забежать... Надо бы приготовить ей орехи, брынзу. Знать бы, когда она точно зайдет, я бы пахлаву испекла.

Адвокат Семен Николаевич Адашевский вернулся домой затемно.

— Данилова встретил, представляешь! — начал он делиться с женой своими впечатлениями прямо с порога. — Тот от меня морду теперь воротит. Раньше каждый раз чуть ли не раскланивался, увидев меня, а сейчас, когда я защищаю Ирину, и знать меня не желает. Ну и хрен бы с ним! Главное, что Ирина сейчас владеет половиной розового дома, и в перспективе у нее — реконструкция сомовской пекарни. Уж не знаю, что они там мутят с этой Надей, помнишь, я тебе рассказывал? Но что-то интересное, может, кафе построят или кондитерскую. А Данилов пьет. Мужики говорят, что он один, барышня от него сбежала, деньжат с собой прихватила...

— Ты главное скажи, что там с Белозеровыми? — Алла помогла мужу снять куртку, шарф. — Все в порядке?

— Я же тебе звонил, все в порядке. Больше с людьми такого плана связываться не стану — пожить еще хочется... Ну, что у нас на ужин?

21. Надя, Настя, Ирина. Санкт-Петербург, июль 2014 г.

— Вот она, Университетская набережная...

Надя со своими подругами, Ириной и Настей, стояли напротив Меншиковского дворца и любовались бывшим владением фаворита Петра Первого.

— Да, скромняга был этот Александр Данилович, — сказала Ирина, задрав голову и щурясь от солнца. — Ничего не скажешь!

Петербург купался в солнечных лучах. Было тепло, даже жарко.

— Ни в чем себе товарищ не отказывал! — поддержала ее Настя.

— Я так много о нем прочитала, что кажется, была знакома с ним лично... — сказала Надя, возбужденная от того, что видит перед собой *тот самый* дворец. — Очень способный, талантливый был человек, но воровал страшно... В общей сложности ему удалось скопить на государственной службе 90 000 крепостных, 99 деревень, 6 городов. Вот и прикиньте, сколько у него было драгоценностей...

броши, ордена, бриллианты, жемчуга, золото, серебро... Ну не дурак же он был, чтобы не припрятать себе на черный день...

— Не знаю, Надя, как ты, а я в эти «меншиковские» клады не верю, честно, ты знаешь, — сказала Настя. — Мы с Ириной поехали с тобой в Питер с единственной целью — отдохнуть, развеяться, походить по музеям... И вообще, обещали же тебе. Не забывай, у нас на все три дня!

— Мы же наш «Чайный дом» оставили... в самый разгар сезона, — тихо проронила Ирина, всеми мыслями находящаяся в Лазаревском, в своем кондитерском цехе. — Хорошо, что Антонина да твоя свекровь, Настя, согласились присмотреть за всем... У меня лично по плану обойти все кофейни и кондитерские на Невском, посмотрю, чем питерцев угощают, какими печеньями, пирожными... Может, кто рецептом поделится.

— А я хотела бы купить пару «ломоносовских» сервизов, если получится, почтой отправим...

— Эх вы! — воскликнула разочарованная Надя. — Но я же собственными ушами слышала, как эти люди говорили о кладе. У них была карта! Карта какого-то бассейна, расположенного на Васильевском острове, это же здесь, совсем близко от того места, где мы стоим, во внутреннем дворике этого дворца... Ну не приснилось же мне все это! Я сама лично слышала, как они рассказывали о бассейне, в котором царские вельможи могли стоять по пояс в воде в ожидании бала... Там был сад, много скульптур, дорогих, роскошных, и я уверена, что под какой-нибудь из них как раз и зарыты сокровища Меншикова...

— Надя, ладно, пойдем уже, увидели твой дворец и хватит! Нам еще столько надо посмотреть! — Настя потянула Надю за руку. Видно было, что ее Меншиковский дворец совсем не впечатлил.

— Подождите... Вот, читайте... — Надя открыла планшет и прочитала: «За дворцом был разбит сад, устроен огород, вплоть до Малой Невки. В усадебном саде также устраивались ассамблеи. Устройством саду занимался личный садовник князя голландец Ян Эйк. По его плану здесь была проложена сетка дорожек, устроены фигурные боскеты и пруды, скульптурные композиции, лабиринты. В 1711 году в саду прорыли канал с круглым прудом у дворцового крыльца...» Вы понимаете! Ну не мог он не подстраховаться, не спрятать свои миллионы...

Она подняла глаза — подруги были уже далеко от нее. Они медленно шли, о чем-то болтая и не обращая на нее никакого внимания.

— Надя?

Она резко обернулась, и в сложном переплетении и сиянии солнечных лучей увидела человека, мужчину. Он шел ей навстречу и улыбался. Воображение вдруг засыпало Университетскую набережную мягким пушистым снегом, который падал и падал, касаясь разгоряченных щек Нади, ее огненных волос, и она так явственно почувствовала на своих губах губы мужчины с глазами цвета свежей зелени и горячими ласковыми руками, что ее на мгновение охватила нестерпимая тоска и сознание того, что она снова совершает какую-то ошибку... Что предает ту влюбленную, безумную в своей молодой неспелой страсти девочку в мокрой от снега капроновой, заледеневшей юбке, что так счастливо хохотала, катаясь на спине своего первого любовника...

Снег вместе с зимой унесло вихрем в прошлое, и вокруг снова стало по-летнему тепло и солнечно.

Зашелестела листва деревьев, подхваченная непонятно откуда взявшимся ветерком, и до нее донеслись обрывки волшебных слов: «*Васильевский остров, Меншиков, броши, кольца, сокровища, жемчуг, сабля, усыпанная бриллиантами, — подарок Петра Первого, деревянный дворец, прорыли канал, бассейн, вельможи, по пояс в воде, балы, Посольский дворец, миллионы долларов, ссылка, Меншиков, Петр, снова Меншиков, Малая Невка, план, рисунок, смотри, будем сказочно богаты...*» Как эхо детской мечты, пьянящей свободы, первой любви, первого любовного восторга и восхищения жизнью...

Надя медленно открыла сумочку, достала потрепанную, исчерченную красными пометками карту, развернула ее на ладони, внимательно сверила с тем, что видит перед собой: вот он, роскошный дворец Александра Даниловича Меншикова, за которым внутренний дворик, где когда-то был бассейн... И то место, отмеченное на карте красным крестиком, где нарисована статуя Венеры, к которой ведут стыдливые пунктиры тех, кто осмелился мечтать о миллионах Меншикова... Любители вареных яиц и сала, ночные пассажиры барнаульского поезда.

И в тот же миг все пространство вокруг заполнилось прозрачными, растекающимися мгновенно по воздуху страницами интернетовского текста, рассказывающего о яркой и насыщенной жизни веселого и умного, пусть и вороватого парня, верного друга Петра Первого, Алексашки Меншикова.

Она снова повернулась к дворцу, рисуя себе яркие живописные картины петровских балов и приемов, пиров, застолий с обилием вина, дичи, пирогов, икры... Увидела и растерянных, в бальных платьях и париках вельмож, стоящих по пояс в воде, в бассейне, стараясь угодить развеселившемуся царю — замерзшие, во всем мокром, липком... Они и не подозревали, что находятся всего в нескольких шагах от сокровищ...

Хотя, может, это лишь одна карта, существуют и другие... Но где?!!

«Где же могут находиться до сей поры сокровища Меншикова? Определенно можно говорить лишь о трех местах — подземелье его дворца на Васильевском острове, подземных камерах под дворцом в Кронштадте и в Ораниенбауме. Будучи губернатором Петербурга и руководя прокладкой различных подземных коммуникаций, Меншиков отлично знал, где можно надежно укрыть свои клады».

Она спрятала карту в сумочку. Вздохнула. Никто-то ей не поверил, никому это не интересно. А как без помощника, единомышленника? Одной искать клад нереально. Сейчас дворец принадлежит Эрмитажу, и кто ее пустит внутрь, на территорию? Нужно все продумать, накопить денег, найти верного и преданного человека и вот тогда...

— Ладно, прощай, мин херц! — прошептала Надя, глотая слезы, и прибавила шагу, догоняя своих подруг. — Вернее, до свидания!

ТАТЬЯНА КОГАН

АВТОР, КНИГИ КОТОРОГО ПРОНИКАЮТ В САМОЕ СЕРДЦЕ!

Новый шокирующий роман Татьяны КОГАН
«Человек без сердца».

Когда-то четверо друзей начали жестокую и циничную игру, ставкой в которой стала не одна человеческая жизнь. Какова будет расплата за исковерканные судьбы? И есть ли оправдание тем, кто готов на все ради достижения своих целей?

Читайте романы Татьяны КОГАН
в остросюжетной серии «ЧУЖИЕ ИГРЫ»

Глава 1

Психотерапевт Иван Кравцов сидел у окна в мягком плюшевом кресле. Из открытой форточки доносился уличный гул; дерзкий весенний ветер трепал занавеску и нагло гулял по комнате, выдувая уютное тепло. Джек (так его величали друзья в честь персонажа книги про доктора Джекила и мистера Хайда) чувствовал легкий озноб, но не предпринимал попыток закрыть окно. Ведь тогда он снова окажется в тишине — изматывающей, ужасающей тишине, от которой так отчаянно бежал.

Джек не видел окружающий мир уже месяц. Целая вечность без цвета, без света, без смысла. Две операции, обследования, бессонные ночи и попытки удержать ускользающую надежду — и все это для того, чтобы услышать окончательный приговор: «На данный момент вернуть зрение не представляется возможным». Сегодня в клинике ему озвучили неутешительные результаты лечения и предоставили адреса реабилитационных центров для инвалидов по зрению. Он вежливо поблагодарил врачей, приехал домой на такси, поднялся в квартиру и, пройдя в гостиную, сел у окна.

Странное оцепенение охватило его. Он перестал ориентироваться во времени, не замечая, как минуты превращались в часы, как день сменился вечером, а вечер — ночью. Стих суетливый шум за окном. В комнате стало совсем холодно.

Джек думал о том, что с детства он стремился к независимости. Ванечка Кравцов был единственным ребенком в семье, однако излишней опеки не терпел абсолютно. Едва научившись говорить, дал понять родителям, что предпочитает полагаться на свой вкус и принимать собственные решения. Родители Вани были мудры, к тому же единственный сын проявлял удивительное для своего возраста здравомыслие. Ни отец, ни мать не противились ранней самостоятельности ребенка. А тот, в свою очередь, ценил оказанное ему доверие и не злоупотреблял им. Даже в выпускном классе, когда родители всерьез озаботились выбором его будущей профессии, он не чувствовал никакого давления с их стороны. Родственники по маминой линии являлись врачами, а дедушка был известнейшим в стране нейрохирургом. И хотя отец отношения к медицине не имел, он явно был не против, чтобы сын развивался в этом направлении.

Ожесточенных споров в семье не велось. Варианты дальнейшего обучения обсуждались после ужина, тихо и спокойно, с аргументами «за» и «против». Ваня внимательно слушал, озвучивал свои желания и опасения и получал развернутые ответы. В итоге он принял взвешенное решение и, окончив школу, поступил в мединститут на факультет психологии.

Ему всегда нравилось изучать людей и мотивы их поступков, он умел докопаться до истинных причин их поведения. Выбранная специальность предоставляла Джеку широкие возможности для совершенствования таких навыков. За время учебы он не пропустил ни одной лекции, штудируя дополнительные материалы и посещая научные семинары. К последнему курсу некоторые предметы студент Кравцов знал лучше иных преподавателей.

Умение видеть то, чего не видит большинство людей, позволяло ему ощущать себя если не избранным, то хотя бы не частью толпы. Даже в компании близких друзей Джек всегда оставался своеобразной темной лошадкой, чьи помыслы крайне сложно угадать. Он никогда не откровенничал, рассказывал о себе ровно столько, сколько нужно для поддержания в товарищах чувства доверия и сопричастности. Они замечали его уловки, однако не делали из этого проблем. Джеку вообще повезло с приятелями. Они принимали друг друга со всеми особенностями и недостатками, не пытались никого переделывать под себя. Им было весело и интересно вместе. Компания образовалась в средних классах школы и не распадалась долгие годы. Все было хорошо до недавнего времени...

Когда случился тот самый поворотный момент, запустивший механизм распада? Не тогда ли, когда Глеб, терзаемый сомнениями, все-таки начал пятый круг? Захватывающий, прекрасный, злополучный пятый круг...

Еще в школе они придумали игру, которая стала их общей тайной. Суть игры заключалась в том, что каждый из четверых по очереди озвучивал свое желание. Товарищи должны помочь осуществить его любой ценой, какова бы она ни была. Первый круг состоял из простых желаний. Со временем они становились все циничней и изощренней. После четвертого круга Глеб решил выйти из игры. В компании он был самым впечатлительным. Джеку нравились эксперименты и адреналин, Макс не любил ничего усложнять, а Елизавета легко контролировала свои эмоции. Джек переживал за Глеба и подозревал, что его склонность к рефлексии еще сыграет злую шутку. Так и произошло.

Последние пару лет Джек грезил идеей внушить человеку искусственную амнезию. Его всегда манили эксперименты над разумом, но в силу объективных причин разгуляться не получалось. Те немногие пациенты, которые соглашались на гипноз, преследовали цели незамысловатые и предельно конкретные, например, перестать бояться сексуальных неудач. С такими задачами психотерапевт Кравцов справлялся легко и без энтузиазма. Ему хотелось большего.

Чуть меньше года назад идея о собственном эксперименте переросла в намерение. Обстоятельства сложились самым благоприятным образом: Глеб, Макс и Елизавета уже реализовали свои желания. Джек имел право завершить пятый круг. И он не замедлил своим правом воспользоваться.

Они нашли подходящую жертву. Подготовили квартиру, куда предполагалось поселить лишенного памяти подопытного, чтобы Джеку было удобно за ним наблюдать. Все было предусмотрено и перепроверено сотню раз и прошло бы без сучка и задоринки, если бы не внезапное вмешательство Глеба.

Он тогда переживал не лучший период в жизни — родной брат погиб, жена сбежала, отношения с друзьями накалились. Но даже проницательный

Джек не мог предположить, насколько сильна депрессия Глеба. Так сильна, что в его голове родилась абсолютно дикая мысль — добровольно отказаться от своего прошлого. Глеб не желал помнить ни единого события прежней жизни. Он хотел умереть — немедленно и безвозвратно. Джек понимал, что, если ответит Глебу отказом, тот наложит на себя руки. И Кравцов согласился.

К чему лукавить — это был волнующий опыт. Пожалуй, столь сильных эмоций психотерапевт Кравцов не испытывал ни разу. Одно дело ставить эксперимент над незнакомцем и совсем другое — перекраивать близкого человека, создавая новую личность. Жаль, что эта новая личность недолго находилась под его наблюдением, предпочтя свободу и сбежав от своего создателя. Джек утешился быстро, понимая: рано или поздно память к Глебу вернется, и он появится на горизонте. А чтобы ожидание блудного друга не было унылым, эксперимент по внушению амнезии можно повторить с кем-то другим[1].

Джек поежился от холода и усмехнулся: теперь ему сложно даже приготовить себе завтрак, а уж об играх с чужим сознанием речь вообще не идет. Вот так живешь, наслаждаясь каждым моментом настоящего, строишь планы, возбуждаешься от собственной дерзости и вдруг в один миг теряешь все, что принадлежало тебе по праву. Нелепое ранение глазного яблока — такая мелочь для современной медицины. Джек переживал, но ни на секунду не

---

[1] Читайте об этом в романах Татьяны Коган «Только для посвященных» и «Мир, где все наоборот», издательство «Эксмо».

допускал мысли, что навсегда останется слепым. Заставлял себя рассуждать здраво и не впадать в отчаяние. Это было трудно, но у него просто не оставалось другого выхода. В критических ситуациях самое опасное — поддаться эмоциям. Только дай слабину — и защитные барьеры, спасающие от безумия, рухнут ко всем чертям. Джек не мог так рисковать.

В сотый раз мысленно прокручивал утренний разговор с врачом и никак не мог поверить в то, что ничего нельзя изменить, что по-прежнему никогда не будет и отныне ему предстоит жить в темноте. Помилуйте, да какая же это жизнь? Даже если он научится ориентироваться в пространстве и самостоятельно обеспечивать себя необходимым, есть ли смысл в таком существовании?

К горлу подступила тошнота, и Джеку понадобились усилия, чтобы справиться с приступом. Психосоматика, чтоб ее... Мозг не в состоянии переварить ситуацию, и организм реагирует соответствующе. Вот так проблюешься на пол и даже убраться не сможешь. Макс предлагал остаться у него, но Джек настоял на возвращении домой. Устал жить в гостях и чувствовать на себе сочувствующие взгляды друга, его жены, даже их нелепой собаки, которая ни разу не гавкнула на незнакомца. Вероятно, не посчитала слепого угрозой.

Вопреки протестам Макса, несколько дней назад Джек перебрался в свою квартиру. В бытовом плане стало труднее, зато отпала необходимость притворяться. В присутствии Макса Джек изображал оптимистичную стойкость, расходуя на это много душевных сил. Не то чтобы Кравцов стеснялся проявлений слабости, нет. Просто пока он не встретил человека, которому бы захотел довериться. Тот же Макс — верный друг, но понять определенные вещи не в состоянии. Объяснять ему природу своих страхов и сомнений занятие энергозатратное и пустое. Они мыслят разными категориями.

В компании ближе всех по духу ему была Елизавета, покуда не поддалась неизбежной женской слабости. Это ж надо — столько лет спокойно дружить и ни с того ни с сего влюбиться. Стремление к сильным впечатлениям Джек не осуждал. Захотелось страсти — пожалуйста, выбери кого-то на стороне да развлекись. Но зачем поганить устоявшиеся отношения? Еще недавно незрелый поступок подруги, как и некоторые другие события, всерьез огорчали Ивана. Сейчас же воспоминания почти не вызывали эмоций, проносясь подвижным фоном мимо одной стабильной мысли.

Зрение никогда не восстановится.

Зрение. Никогда. Не восстановится.

Джек ощущал себя лежащим на операционном столе пациентом, которому вскрыли грудную клетку. По какой-то причине он остается в сознании и внимательно следит за происходящим. Боли нет. Лишь леденящий ужас от представшей глазам картины. Собственное сердце — обнаженное, красное, скользкое — пульсирует в нескольких сантиметрах от лица. И столь омерзительно прекрасно это зрелище, и столь тошнотворно чарующ запах крови, что хочется или закрыть рану руками, или вырвать чертово сердце... Только бы не чувствовать. Не мыслить. Не осознавать весь этот кошмар.

Джек вздрогнул, когда раздался звонок мобильного. Все еще пребывая во власти галлюцинации, он автоматически нащупал в кармане трубку и поднес к уху:

— Слушаю.

— Здорово, старик, это я. — Голос Макса звучал нарочито бодро. — Как ты там? Какие новости? Врачи сказали что-нибудь толковое?

— Не сказали.

— Почему? Ты сегодня ездил в клинику? Ты в порядке?

Джек сделал глубокий вдох, унимая внезапное раздражение. Говорить не хотелось. Однако, если не успокоить приятеля, тот мгновенно явится со спасательной миссией.

— Да, я в порядке. В больницу ездил, с врачом говорил. Пока ничего определенного. Результаты последней операции еще не ясны.

В трубке послышалось недовольное сопение:

— Может, мне с врачом поговорить? Что он там воду мутит? И так уже до хрена времени прошло.

— Макс, я ценю твои порывы, но сейчас они ни к чему, — как можно мягче ответил Джек. — Все идет своим чередом. Не суетись. Договорились? У меня все нормально.

— Давай я приеду, привезу продуктов. Надьку заодно прихвачу, чтобы она нормальный обед приготовила, — не унимался друг.

Джек сжал-разжал кулак, призывая самообладание.

— Спасибо. Тех продуктов, что ты привез позавчера, хватит на несколько недель. Пожалуйста, не беспокойся. Если мне что-то понадобится, я тебе позвоню.

Максим хмыкнул:

— И почему у меня такое чувство, что если я сейчас не отстану, то буду послан? Ладно, старик, больше не надоедаю. Вы, психопаты, странные ребята. Наберу тебе на неделе.

— Спасибо. — Джек с облегчением положил трубку. Несколько минут сидел неподвижно, вслушиваясь в монотонный гул автомобилей, затем решительно встал и, нащупав ручку, закрыл окно.

Если он немедленно не прекратит размышлять, то повредит рассудок. Нужно заставить себя заснуть. Завтра будет новый день. И, возможно, новые решения. Перед тем как он впал в тревожное забытье, где-то на задворках сознания промелькнула чудовищная догадка: жизнь закончена. Иван Кравцов родился, вырос и умер в возрасте тридцати трех лет...

Литературно-художественное издание

CRIME & PRIVATE

Данилова Анна Васильевна

ПЛЕННИЦА ЧУЖИХ ИЛЛЮЗИЙ

Ответственный редактор *О. Бабкова*
Редактор *М. Красавина*
Художественный редактор *В. Щербаков*
Технический редактор *О. Куликова*
Компьютерная верстка *М. Маврина*
Корректор *Е. Родишевская*

Gromovataya, Kiselev Andrey Valerevich, katalinks,
PHOTOCREO Michal Bednarek / Shutterstock.com
Используется по лицензии от Shutterstock.com

ООО «Издательство «Эксмо»
123308, Москва, ул. Зорге, д. 1. Тел. 8 (495) 411-68-86, 8 (495) 956-39-21.
Home page: **www.eksmo.ru**   E-mail: **info@eksmo.ru**

Өндіруші: «ЭКСМО» АҚБ Баспасы, 123308, Мәскеу, Ресей, Зорге көшесі, 1 үй.
Тел. 8 (495) 411-68-86, 8 (495) 956-39-21
Home page: www.eksmo.ru   E-mail: info@eksmo.ru.
Тауар белгісі: «Эксмо»
Қазақстан Республикасында дистрибьютор және өнім бойынша
арыз-талаптарды қабылдаушының
өкілі «РДЦ-Алматы» ЖШС, Алматы қ., Домбровский көш., 3«а», литер Б, офис 1.
Тел.: 8 (727) 2 51 59 89,90,91,92, факс: 8 (727) 251 58 12 вн. 107; E-mail: RDC-Almaty@eksmo.kz
Өнімнің жарамдылық мерзімі шектелмеген.
Сертификация туралы ақпарат сайтта: www.eksmo.ru/certification

Сведения о подтверждении соответствия издания согласно
законодательству РФ о техническом регулировании можно
получить по адресу: http://eksmo.ru/certification/

Өндірген мемлекет: Ресей
Сертификация қарастырылмаған

Подписано в печать 08.04.2015. Формат 84x108¹/₃₂.
Гарнитура «Ньютон». Печать офсетная. Усл. печ. л. 16,8.
Тираж 2500 экз. Заказ 8527.

Отпечатано в ОАО «Можайский полиграфический комбинат».
143200, г. Можайск, ул. Мира, 93.
www.оаомпк.ru, www.оаомпк.рф тел.: (495) 745-84-28, (49638) 20-685

ISBN 978-5-699-80281-4

СЕРИЯ ДЛЯ ЛИТЕРАТУРНЫХ ГУРМАНОВ